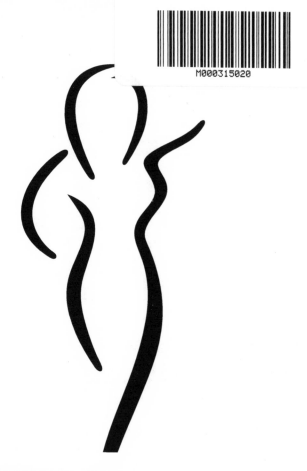

MANUAL DE RECUPERACION DE LA
CIRUGÍA PLÁSTICA

KATHLEEN HELEN LISSON, CLT

Descargo de responsabilidad y condiciones de uso

Ninguna información contenida en este libro debe ser considerada como consejo médico. Su confianza en la información y el contenido obtenido por usted en o a través de esta publicación es únicamente bajo su propio riesgo. Solace Massage and Mindfulness o el autor no asume ninguna responsabilidad por daños o lesiones a usted, a otras personas o a la propiedad que surjan del uso de cualquier producto, información, idea o instrucción contenida en el contenido o servicios proporcionados a usted a través de este libro. La confianza en la información contenida en este material es únicamente bajo el propio riesgo del lector. El autor no tiene ningún interés financiero y no recibe ninguna compensación de los fabricantes de los productos o sitios web mencionados en este libro.

ISBN-13: 978-1-7328066-4-1
ISBN-10: 1-7328066-4-0

CONTENIDO

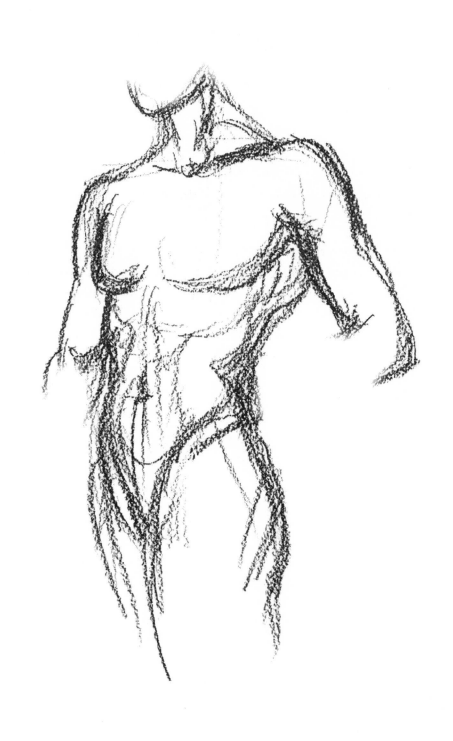

NOTAS IMPORTANTES:

Los consejos discutidos en este libro fueron recopilados a través de la revisión de estudios de investigación y literatura publicada sobre cirugía plástica, entrevistando a expertos y escuchando a los clientes. Los expertos pueden estar en desacuerdo y los avances científicos pueden hacer que parte de esta información quede obsoleta. El autor no asume ninguna responsabilidad por el resultado de aplicar la información de este libro para el autocuidado. Si tiene alguna pregunta relacionada con la seguridad sobre la aplicación de las técnicas discutidas en este libro, consulte a su médico o cirujano plástico.

CAPÍTULO 1
POR QUÉ ESCRIBÍ ESTE LIBRO?

¡Felicitaciones! Acaba de someterse a una cirugía plástica para mejorar su apariencia.

¿No es frustrante que antes de que pueda empezar a disfrutar de su nuevo rostro o cuerpo, deba pasar días o semanas sintiéndose hinchado y con moretones?

Muchos de mis clientes me preguntan por qué limito mi práctica de masaje sólo a las personas que tienen hinchazón después de la cirugía. ¿Cómo puedo empatizar tan bien con cómo se sienten: asustados, frustrados y quizás un poco enojados consigo mismos o con sus cuerpos?

Es porque yo mismo he seguido el camino que tú sigues.

¿Qué he "hecho" yo?

Tuve dos tipos diferentes de cirugía en mi cara, y desearía que alguien me hubiera hablado sobre el masaje linfático después de mis operaciones.

La historia de mi primera cirugía plástica comenzó al lado de una pista de esquí en el oeste de Massachusetts. Tenía treinta y tantos años y había ido a esquiar en un cálido día de febrero. Estaba en una colina "verde", tomándome mi tiempo, y esquié hacia un lado para dejar pasar a la mujer que estaba detrás de mí.

La vi venir, venir, venir, venir y SMASH.

Me golpeó en el lado derecho y me tiré al suelo. Fui rescatado por la patrulla de esquí, amarrado a un tobogán, bajado de la montaña y conducido por un amigo a la sala de emergencias de mi ciudad natal más tarde ese mismo día. El veredicto: mi cara estaba hinchada y con moretones, mi pómulo derecho estaba destrozado y necesitaba cirugía reconstructiva.

Gracias al **Dr. Stephane Braun**, mi cirugía fue exitosa, pero me dijeron que la hinchazón y los moretones eran normales y que lo mejor que podía hacer era esperar pacientemente a que mi cuerpo se curara.

¿Qué acabas de decir? ¿También has oído eso de tu médico? No estamos solos. Doc tiene razón:

La hinchazón es una parte normal de la recuperación del trauma, incluyendo la cirugía plástica, reconstructiva, oncológica y ortopédica, pero existen maneras de reducir la hinchazón y sanar más rápido.

Ya sea en persona o en línea, nos conectamos entre nosotros porque usted también tiene hinchazón. Cirujanos Plásticos Certificados en San Diego, a través del Sur de California, y en Tijuana, México, me refieren a sus clientes para reducir la sensación de pesadez y tirantez que la hinchazón postoperatoria puede traer. ¡Incluso si no eres mi cliente, puedes seguir beneficiándote de este consejo!

Compartiré mis mejores consejos recogidos de mi formación como Terapeuta Certificado en Linfedema, conversaciones con otros terapeutas, presentaciones en conferencias sobre linfedema, libros, estudios de investigación y consejos útiles compartidos por mis clientes sobre lo que ha funcionado mejor para ellos.

Primero, permítanme presentarles mis siete componentes clave para la curación de la cirugía plástica. Basado en años de experiencia ayudando a los clientes, creo que abordar cada uno de estos componentes aumenta las posibilidades de curación completa de la cirugía.

Componentes de la terapia de recuperación postquirúrgica

- Seguir las órdenes del médico
- Reducir la inflamación
- Reducir los moretones
- Reducir las cicatrices y la fibrosis
- Apoyo para la curación de heridas

- Vuelva a ponerse de pie
- Siéntase saludable por dentro y por fuera

Cada uno de los siguientes capítulos explicará en detalle cómo seguir mis reglas de recuperación. ¡Vamos a empezar!

CAPÍTULO 2

SIGUIENDO LAS ÓRDENES DEL DOCTOR.

Creé este libro como un recurso para iniciar y apoyar una conversación sobre la recuperación de su cirugía plástica con su cirujano.

¡Sí, su cirujano quiere y valora su aportación en su recuperación!

En su libro *Aumento de senos y contorno corporal*, los doctores McNemar, Salzberg y Seidel dicen que "los cirujanos estéticos consideran que es su responsabilidad como paciente estar informado, hacer preguntas, comunicar sus objetivos y seguir instrucciones" (2006). La mayoría de los consejos en este libro están respaldados por la investigación, y he puesto enlaces a la mayoría de los estudios en la bibliografía para que usted pueda imprimirlos y mostrarlos a su médico.

En su libro *Cosmetic Surgery for Dummies*, la Dra. R. Merrell Olesen y Marie B.V. Olesen comparte que "usted puede influir positivamente en el proceso de curación eligiendo seguir las indicaciones de su cirujano y descansando mucho" (2005). Deje que su médico tenga la última palabra en sus decisiones de tratamiento; ellos tienen conocimiento de su caso único.

Para asegurarse de que está sanando lo más rápido posible, repasemos las recomendaciones de su cirujano plástico para su recuperación. ¿Cuáles son las respuestas a estas preguntas comunes?

¿Cuándo puede reanudar el ejercicio? ¿Y con respecto al ejercicio vigoroso?

_____

_____

¿Existen limitaciones en cuanto al tipo de ejercicios que puede hacer? ¿Cuándo se puede entrar en una piscina?

_____

_____

¿Qué prendas de compresión (si las hay) debe usar y cuándo debe cambiarse a una de menor tamaño? ¿Hay alguna razón médica por la que no deba usar una prenda?

_____

_____

¿Cuándo puede empezar a tomar suplementos de nuevo después de la cirugía?

_____

_____

¿Cuándo se retirarán los drenajes o puntos de sutura? ¿Qué debe hacer si el líquido deja de drenar repentinamente?

¿Tiene puntos de sutura disolubles? ¿Qué debe hacer si su incisión se abre?

¿Se le permite usar una compresa fría o calor en el área quirúrgica?

¿Cuándo se le permite recibir acupuntura?

¿Cuáles son las señales de advertencia de que usted puede tener una infección o seroma? ¿Qué debe hacer si sospecha que tiene una infección o un seroma?

¿Por cuánto tiempo sentirá entumecimiento?

_____

_____

¿Cuánto tiempo dura su recuperación? Esto es delicado, porque hay muchas definiciones de "recuperación". He aquí algunos ejemplos de preguntas: ¿Cuándo puede volver a trabajar? ¿Cuándo empezarás a sentirte bien con ropa? ¿Cuánto falta para que puedas estar en la boda de un amigo, con todas las fotos y las fiestas? ¿Cuánto tiempo pasará hasta que puedas sentirte bien en traje de baño en la playa? ¿Cuánto falta para que puedas irte de vacaciones de una semana de duración con muchas caminatas?

_____

_____

¿Cómo puede ponerse en contacto con el consultorio de su cirujano si tiene preguntas durante la noche o los fines de semana?

_____

_____

Otras preguntas que usted quiere hacerle a su cirujano en su visita de seguimiento:

_____

_____

_____

En resumen: ¡seguir las órdenes del médico es clave para su recuperación!

"Crea tu propio estilo. Deja que sea único para ti y a la vez identificable para los demás". — Anna Wintour

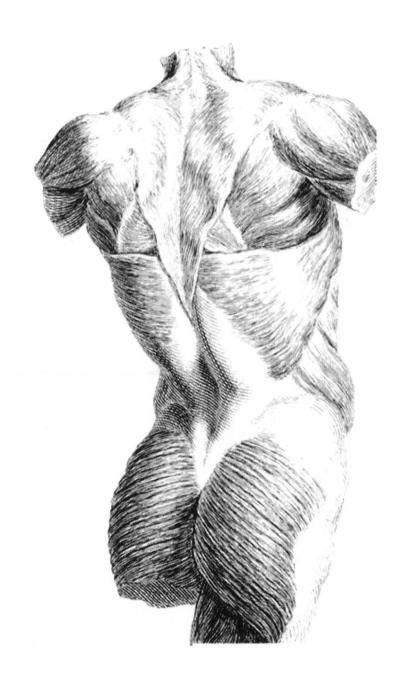

CAPÍTULO 3
REDUCIENDO LA INFLAMACIÓN

Lidiar con la hinchazón fue la peor parte de la recuperación de mis cirugías faciales. Es un recordatorio negativo constante de la cirugía; hace que sea más difícil moverse y puede sentirse pesado o apretado. Usted podría sentirse avergonzado de salir en público si se ha sometido a un estiramiento facial. La hinchazón después de la liposucción también es extremadamente desalentadora para muchos de mis clientes. ¡Pagaron mucho dinero para cambiar su figura y ahora apenas caben en ropa que antes era cómoda!

Es completamente natural que su cuerpo se hinche después de la cirugía. En su libro *A Patient's Guide to Liposuction*, el Dr. Schafer dice que "la hinchazón es causada por una acumulación de exceso de líquido en el tejido tratado" (2001). La hinchazón es normal, pero si usted es una persona proactiva que quiere volver a su vida normal, no hay razón para esperar pacientemente hasta que desaparezca por sí sola.

¿Está empeorando mi hinchazón?

¿Siente que su hinchazón después de la liposucción está aumentando día a día en la primera semana después de la cirugía? ¡No todo está en tu cabeza! De hecho, en el libro *Plastic Surgery of the Body for Men and Women*, dice el Dr. Engler después de la liposucción, "la máxima hinchazón y moretones - y por lo tanto molestias - no pueden ocurrir hasta 1-3 días después de la cirugía. Cuando los moretones comienzan relativamente profundos (como después de una liposucción), pueden tardar más tiempo en llegar a su punto máximo, por ejemplo, de 5 a 10 días" (2000). En el estudio "Unfavorable Outcomes of Liposuction and Their Management" (Resultados desfavorables de la liposucción y su tratamiento), publicado en el Indian Journal of Plastic Surgery, Dixit and Wagh (2013) revisó los casos de más de seiscientos procedimientos de liposucción y encontró que "la hinchazón será aparente dentro de las 24-48 [horas] posteriores al procedimiento y continúa aumentando ligeramente durante los primeros 10-14 días".

¡Ayuda! ¡TODAVIA estoy hinchada!

¿Siente que algunas partes de su cuerpo se mantienen inflamadas por más tiempo que otras? ¡Puede que sea verdad! En el artículo "Un viaje a través de la liposucción y la lipoescultura: Review" publicado en los Annals of Medicine & Surgery, Bellini et al. encontraron que el edema "en algunas áreas venosas como los tobillos y las pantorrillas puede persistir durante seis meses o un año" (2017).

¿Cómo puedo deshacerme de la inflamación después de la cirugía?

Una vez que las incisiones quirúrgicas se han cerrado, el cuerpo elimina la inflamación a través del sistema linfático. Está completamente bien no saber mucho acerca de este sistema del cuerpo - probablemente no nos enseñaron acerca de él en la clase de fisiología de la escuela secundaria. El sistema linfático es el sistema de reciclaje de nuestro cuerpo, una red de vasos que transporta el agua, las moléculas de grasa, las proteínas y los productos de desecho desde el líquido intersticial que rodea nuestras células hasta el corazón. Concretamente, "los vasos linfáticos participan en la formación de la linfa desde el líquido intersticial y conducen la linfa al sistema venoso" (Foldi&Foldi, 2012, 5). También es parte de nuestro sistema inmunológico. El líquido linfático se filtra a través de los ganglios linfáticos, y cuando el tejido está dañado y los vasos que conducen a los ganglios linfáticos se cortan o dañan durante la cirugía, puede producirse una inflamación a corto plazo.

Hay varias maneras de reducir la hinchazón, incluyendo:

- Masaje de Drenaje Linfático Manual (MLD)
- Ejercicio y movimiento articular

- Respiración diafragmática (vientre)
- Compresión externa
- Cintas de Kinesiología
- Vibración
- Tratamientos de enfriamiento que reducen el flujo sanguíneo a través de la vasoconstricción

Veamos cada una de estas técnicas con mayor profundidad.

Masaje de Drenaje Linfático Manual (MLD)

¿Qué es el drenaje linfático manual? Hay mucha confusión en los medios sociales. Muchos masajistas están sacando líquido de las incisiones abiertas y lo llaman drenaje linfático manual. Se hace manualmente, y es drenaje, pero el líquido no está pasando por el intersticio y no por el sistema linfático, así que no es apropiado el Drenaje Linfático Manual. Lo considero más como un golpe de ordeño. Algunos cirujanos utilizan un accidente cerebrovascular de ordeño similar para reducir la inflamación inmediatamente después de la cirugía en el quirófano. Empujar el líquido fuera de las incisiones es beneficioso y puede reducir la hinchazón mientras las incisiones aún están abiertas. Si tiene incisiones abiertas, el cirujano le dará orientación sobre cómo mantenerlas a salvo de infecciones.

Entonces, ¿qué puede hacer para reducir la hinchazón después de que sus drenajes hayan sido removidos o sus incisiones hayan sido cerradas? Esto es cuando el Drenaje Linfático Manual es útil.

El Drenaje Linfático Manual es una suave técnica de masaje de estiramiento de la piel que estimula la hinchazón para que pase al sistema linfático de nuestro cuerpo. El estiramiento de la piel es lo que la hace más efectiva, no es un masaje de ordeño, frotamiento o deslizamiento. Según "Tratamiento no quirúrgico de la linfedema", publicado en Seminarios de Cirugía Plástica, "el drenaje linfático manual es una técnica utilizada para aumentar la tasa de transporte del líquido linfático, desarrollar nuevas rutas para el drenaje linfático desde las áreas congestionadas hasta las regiones adyacentes no edematosas, aumentar la actividad de los macrófagos para descomponer los depósitos de proteínas y romper mecánicamente el tejido fibrótico". Está indicado en pacientes con edema de fóvea significativo de la extremidad, tronco o pared torácica, con cambios en el tejido fibrótico o esclerótico, y en aquellos con síntomas significativos que incluyen pesadez o tensión" (Schaverien, Moeller & Cleveland, 2018). Si se siente pesado o apretado, pruebe el Drenaje Linfático Manual.

El sistema linfático seguirá trabajando duro para eliminar la hinchazón lo mejor que pueda durante algún tiempo después del masaje. La hinchazón sale del cuerpo en la orina. Recomiendo al menos dos sesiones de una hora por semana durante el tiempo que la hinchazón se sienta incómoda. Algunos clientes sólo quieren unas pocas semanas de tratamiento y otros reciben Drenaje Linfático Manual regularmente durante unos meses para lograr resultados óptimos.

Mis mejores consejos para los clientes:

* Póngase la prenda de compresión lo antes posible después del tratamiento de LDM.
* ¡Por favor, beba mucha agua! El agua es esencial para su cuerpo. Reducir la ingesta de agua NO reducirá la hinchazón.
* Usted puede orinar más (así es como la hinchazón sale del cuerpo) y su orina puede oler o sentirse diferente.
* Usted puede llegar a tener menos estreñimiento como resultado del trabajo abdominal que es parte de su tratamiento.
* El Drenaje Linfático Manual no es una solución milagrosa ni una solución rápida. Su hinchazón no se resolverá completamente en sólo una o dos sesiones.

¿Cuál es la investigación detrás del uso del Drenaje Linfático Manual para reducir la inflamación?

Los doctores Renato Saltz y Bianca Ohana estudiaron a 183 pacientes que se habían sometido a un estiramiento endoscópico de la parte media de la cara. En "Postoperative Instructions for Patients", publicado en Aesthetic Surgery Journal, Saltz y Ohana recomiendan elevar la cabeza, usando compresas frías sobre los ojos, y "masaje de drenaje linfático 72 horas después de la operación, una o dos veces durante la primera semana, luego 2-3 veces a la semana" (2012).

El masaje linfático también tiene un impacto positivo después de la cirugía ortopédica. En el estudio "Randomized Trial Investigating the Efficacy of Manual Lymphatic Drainage to Improve Early Outcome After Total Knee Arthroplasty" (Ensayo aleatorio que investiga la eficacia del drenaje linfático manual para mejorar el resultado temprano después de la artroplastia total de rodilla) publicado en Archives of Physical Medicine and Rehabilitation, Ebert et al. descubrieron que la realización de media hora de masaje manual de drenaje linfático en los días 2, 3 y 4 después de la artroplastia total de rodilla "parece mejorar la flexión activa de la rodilla hasta las 6 semanas después de la cirugía". ¿Por qué es importante? Porque "la rodilla postoperatoria restringida [rango de movimiento] sigue siendo una de las complicaciones postoperatorias más frecuentes e indicadores de insatisfacción del paciente" (2013).

Olesen & Olesen comparten que sus pacientes encuentran que el masaje de Drenaje Linfático Manual "no sólo los relaja, sino que también contribuye significativamente a su recuperación" y que "algunos cirujanos recomiendan una sesión antes y después de la cirugía", mientras que "otros cirujanos sólo recomiendan las citas postoperatorias" (2005).

¡Esta técnica tiene una larga historia! La gente ha usado el Drenaje Linfático Manual para curarse de la Cirugía Plástica por más de 20 años. En la presentación "Terapia Manual de Drenaje Linfático: Un componente integral de la atención postoperatoria en pacientes de cirugía plástica", impartido en la primera edición anual de conferencia de la Sociedad Americana de Linfología, la Dra. Casas y el Dr. DePoli (1999) encontraron que cuando los clientes que se recuperaban de una cirugía (liposucción del abdomen, nalgas, caderas o muslos, abdominoplastia, cirugía estética de abdomen o estiramiento facial) eran tratados con masaje de Drenaje Linfático Manual y masaje de tejido profundo 1 ó 2 veces a la semana durante las primeras 3 a 6 semanas después de la operación, con masajes de tejido profundo administrados a medida que se desarrollaba la fibrosis subcutánea, se recuperaban más rápidamente. La fibrosis es el engrosamiento o cicatrización del tejido conectivo en el cuerpo.

¿Qué tan rápido es más rápido?

Casas y DePoli (1999) afirmaron que sin ninguna terapia descongestiva postoperatoria "vemos una resolución completa del edema postoperatorio y la fibrosis en este grupo entre 9 y 18 meses después de la cirugía. En los diez grupos mencionados anteriormente que se sometieron a LDM y Masaje de Tejido Profundo, la inflamación postoperatoria y la fibrosis se resolvieron en un plazo de 6 semanas a 3 meses, acortando así la recuperación significativamente".

Cuando estamos sanos, nuestros cuerpos utilizan el movimiento y las contracciones musculares para mover el líquido linfático. El masaje manual de drenaje linfático puede ayudar a mover el líquido linfático cuando se prohíbe a los clientes hacer ejercicio vigoroso en las primeras semanas después de la cirugía. Guenter Klose, uno de mis profesores y experto en el tratamiento de la linfedema, dice que "los clientes posquirúrgicos que pueden beneficiarse del drenaje linfático manual incluyen aquellos que se están recuperando de cirugías estéticas tales como estiramientos faciales, aumento de senos, y liposucción y cirugías ortopédicas tales como reparación o reemplazo de articulaciones. El drenaje linfático manual reduce eficazmente la hinchazón incluso antes de que se pueda restaurar el movimiento y la función muscular apropiados" (2014). Con frecuencia, el cirujano sólo permite ejercicios muy ligeros en las semanas posteriores a la cirugía. El masaje de Drenaje Linfático Manual puede ayudar a reducir la inflamación antes de que se les permita a los pacientes usar el ejercicio y el movimiento de las articulaciones para ayudar a su sistema linfático.

Ejercicio y Movimiento Conjunto

El ejercicio puede ser muy suave y aun así efectivo para aumentar el flujo linfático después de la liposucción. No necesitas sudar. Simplemente flexionar y extender las articulaciones y los músculos, especialmente el diafragma y los músculos de la pantorrilla, ayuda a mover el líquido linfático a través de su sistema.

Siempre consulte con su cirujano antes de comenzar cualquier nuevo tipo de ejercicio. Olesen & Olesen tienen razón cuando dicen que "hay que esperar límites a sus actividades normales y al ejercicio durante su recuperación" (2005). En su sitio web, la Sociedad Estadounidense de Cirugía Plástica Estética (ASAPS, por sus siglas en inglés) advierte que los clientes de liposucción deben "evitar el ejercicio vigoroso durante cuatro a seis semanas porque puede desencadenar una retención de líquidos innecesaria en las áreas tratadas".

- Salir a caminar puede ser una forma suave de ejercicio y aún así es muy efectivo para aumentar el flujo linfático.
- Si tiene hinchazón en las piernas o en los pies, intente realizar ejercicios de amplitud de movimiento en las piernas. Trate de rendir hasta un minuto de bombas de tobillo (flexión y extensión) una o dos veces por

hora cuando está despierto; puede aumentar el flujo sanguíneo hasta por 30 minutos.

Demasiado ejercicio demasiado pronto puede aumentar la hinchazón, incluso si el "ejercicio" es simplemente caminar y hacer compras durante unas horas.

Muchas personas experimentan entumecimiento después de la cirugía, lo que significa que es posible que usted no sepa si está haciendo un esfuerzo excesivo. Descanse tranquilo, el entumecimiento es totalmente normal. En el libro Principios y Práctica de la Liposucción, Melvin A. Shiffman, MD, dice que "la disminución de la sensibilidad o pérdida sensorial puede ocurrir, pero casi siempre es temporal" (2006, 337).

Incluso después de que se le permita reanudar el ejercicio, asegúrese de preguntarle a su médico si los estiramientos vigorosos son adecuados para usted. Hay más información sobre el ejercicio después de la cirugía más adelante en el libro.

Respiración diafragmática (ventral).

La respiración abdominal activa el diafragma, que estimula el flujo linfático de nuestro cuerpo. De hecho, Foldi y Foldi dicen que el flujo linfático es "claramente dependiente de la respiración" (2012, 551).

Muchos de nosotros respiramos superficialmente. Si tiene niños pequeños o bebés en su vida, tómese un momento para verlos respirar. Lo más probable es que muevan sus estómagos mientras respiran. Hace mucho tiempo, cuando éramos niños, tal vez alguien se burló de la forma en que respirábamos o nos apretujamos en ropa apretada y dejamos de respirar boca abajo. ¿Sabía usted que el 83% de las personas con ansiedad tienen disfunción respiratoria (Courtney, 2009)? Si usted tiene ansiedad, podría ser otra gran razón para intentar respirar boca abajo.

¿Respira el vientre?

Póngase a prueba ahora respirando con la mano sobre el ombligo. ¿Su vientre se empuja hacia afuera o permanece inmóvil o se succiona al inhalar? Esa es la diferencia entre la respiración abdominal y la respiración superficial.

Practiquemos la respiración abdominal ahora.

Coloque sus manos a lo largo de la parte inferior de su caja torácica, cerca de su ombligo. Si usted tiende a tener una mandíbula tensa, trate de poner la punta de su lengua en el techo de su boca para relajar su mandíbula. Respire profundamente por la nariz y permita que su abdomen se expanda. ¿Puede sentir que su caja torácica se ensancha y su barriga se estira? Exhale completamente. Esto es respiración abdominal o diafragmática.

¡Una postura corporal común que nos hace pensar instantáneamente en estar relajados puede ayudarle a practicar la respiración abdominal! Pruébelo tumbado boca arriba, estirando los brazos por encima de la cabeza, y luego con las manos juntas detrás de la cabeza. Pareces relajado y también estás indicando a tu cuerpo que use tu abdomen para respirar.

Si no le coges el tranquillo, prueba a ver este video de la Dra. BelisaVranich para aprender más sobre la respiración: https://youtu.be/ysYO69Oxdhc

Compresión externa.

Si se sometió a una liposucción o a una cirugía estética de abdomen, es posible que su cirujano plástico le haya dado una prenda de compresión. El uso de la prenda según lo prescrito ayudará a disminuir la hinchazón al proporcionar resistencia externa, lo que ayuda a limitar la hinchazón adicional y estimula al sistema linfático a retirar el exceso de líquido de su área quirúrgica.

Muchos de mis clientes de cirugía plástica vienen a su primera visita ya usando prendas de compresión prescritas por su cirujano. Las prendas de compresión son algo más que un par de medias súper caras. El uso de una prenda correctamente ajustada con el nivel adecuado de compresión es una parte importante de la recuperación.

Lo sé, lo sé, lo sé. La compresión es cara y dolorosa de llevar. Si necesita convencerse, veamos qué recomiendan los expertos en cirugía plástica a sus propios pacientes.

En su sitio web, ASAPS recomienda que los pacientes de liposucción "usen una prenda de compresión sobre las áreas tratadas durante cuatro a seis semanas para controlar la inflamación y promover la contracción de la piel". También les dicen a los clientes que se están recuperando de una cirugía estética de abdomen que hacerlo "reduce la probabilidad de que la piel se afloje o caiga después de una abdominoplastia". La faja de compresión también ayuda a controlar la hinchazón, lo que resulta en un período de recuperación más corto" (n.d.b.).

Dixit y Wagh dicen que "algunos de los métodos que se emplean habitualmente para minimizar el edema postoperatorio [hinchazón o edema] son: la aplicación de una prenda compresiva óptima inmediatamente después de la cirugía.... que proporcione drenaje linfático manual en el período postoperatorio inicial". En nuestra experiencia, una liposucción suave, una prenda de compresión óptima y un masaje de drenaje linfático temprano ayudan a acelerar la eliminación del edema" (2013).

Schafer dice que "las prendas de compresión son esenciales para la recuperación después de la liposucción. Aplican presión en la zona tratada para evitar que el tejido se mueva a medida que el paciente se mueve", "ayudan a controlar el dolor y la hinchazón" y "se puede utilizar una pieza de espuma debajo de la prenda para reducir la posibilidad de que se acumule sangre u otros fluidos (y disminuir los moretones)" (2011).

Shiffman dice que "el edema persistente en el área de la liposucción puede ser angustiante para el paciente. Esto puede deberse a un trauma excesivo en los tejidos, pero la liposucción es un procedimiento traumático que causa las llamadas lesiones internas de tipo quemadura. La compresión adecuada suele ser la clave para la prevención" (2006, 334).

Miami, Florida, es un caldo de cultivo para la cirugía plástica. Tengo clientes que viajan a Miami para su cirugía y vuelan de regreso a San Diego para recuperarse. Si quieres hacerte una cirugía al estilo Miami como resultado, usted necesita hacer lo que las mujeres en Miami hacen - usar su prenda de compresión y lipoespuma e invertir en masajes linfáticos. (Si viaja para una cirugía plástica, le recomiendo que lea el libro de la terapeuta de masajes Marian Sotelo-Paz Antes y Después: Una Guía para la Cirugía Estética para consejos sobre cómo reservar transporte y cuidado de recuperación).

La espuma es la mejor amiga de una prenda de compresión

¿Por qué usar espuma? Primero experimenté la práctica de usar una combinación de espuma y compresión para reducir el edema en mi entrenamiento como Terapeuta Certificado en Linfedema. Las almohadillas de espuma colocadas debajo de la prenda de compresión ejercerán una presión suave y constante sobre cualquier parche de hinchazón en el torso, los brazos y las piernas, lo que fomentará la reabsorción del líquido adicional. Lea más sobre la espuma en el Capítulo 5.

En resumidas cuentas: Una capa de espuma ayudará a distribuir uniformemente la compresión, haciendo que la prenda de compresión sea más efectiva para reducir la hinchazón y mantenerla fuera del área.

Por favor, lea esto si está considerando usar la espuma Reston después de la cirugía: https://multimedia.3m. com/mws/media/820830/common-questions-reston-self-adhering-foam-products.pdf.

¿Qué pasa si ya no necesitas mucha compresión?

El micro masaje y las prendas de compresión ligera son otra opción para el edema crónico. Mis colegas han visto a clientes que tienen un diagnóstico de lipoedema y sufren de hinchazón crónica lograr una reducción de estos síntomas mediante el uso de una prenda de compresión de micro masaje junto a la piel. Varias prendas en el mercado proporcionan un nivel moderado de compresión. **Bioflect®**, **CzSalus®** y **Solidea®** son tres marcas. Esta puede ser una buena opción si usted tiene hinchazón crónica y ya no está usando su prenda de compresión posquirúrgica, o siente que necesita un poco más de compresión de la que su prenda actual le proporciona. Si se siente enfermo o se hincha más cuando usa la compresión de micro masaje, deje de usarla.

¿Qué hay de esos calcetines que te dieron después de la cirugía?

Algunos cirujanos piden a sus pacientes que usen medias antiembolia. A veces llamada manguera T.E.D., que es la abreviatura de Thrombo-Embolic Deterrent, se trata de un par de calcetines con compresión ligera que se utilizan para reducir el riesgo de un coágulo sanguíneo. Estas prendas están diseñadas para funcionar cuando usted está acostado horizontalmente en la cama o en el sofá. Una vez que pueda pararse y caminar fácilmente, tendrá que ponerse un par de calcetines de compresión más fuertes si necesita reducir la hinchazón en sus piernas y pies.

¿Qué es la compresión bimodal?

Algunos cirujanos plásticos dejan las incisiones de la liposucción abiertas para permitir que la inflamación salga del cuerpo más rápido que si las incisiones se cerraran inmediatamente después de la cirugía. Si tiene incisiones abiertas, su cirujano puede utilizar la Compresión Bimodal, que es el "uso secuencial de dos etapas diferentes de compresión post-liposucción" (Kassardjian, s.d.).

Cómo lograr una buena compresión.

Hable con su cirujano si usted está experimentando cualquiera de lo siguiente:

- **Prenda de compresión demasiado ajustada.** A menudo, unas cuantas sesiones de masaje linfático reducen la hinchazón lo suficiente como para hacer que la prenda sea más cómoda. Si experimenta dolor, mareos o vértigo al usar prendas de compresión, trabaje con su cirujano para encontrar un nivel de compresión y/o una prenda que sea adecuada para usted. También puede trabajar con un Terapeuta Certificado en Linfedema para averiguar opciones adicionales de compresión.

- **Prenda de compresión demasiado suelta.** Muchos de mis clientes obtienen buenos resultados al cambiar a una prenda de compresión en una talla más pequeña unas semanas o un mes después de la operación. ¡Reducir el tamaño es un momento de celebración! Significa que el sistema linfático está trabajando para reducir la inflamación y el cuerpo está sanando.

- **Prenda de compresión que agrupa o deja líneas en la piel.** Asegúrese de que su prenda no tenga arrugas o áreas de arrugas mientras la lleva puesta durante el día. El acolchado o la espuma también pueden ayudar. Las arrugas y el agrupamiento pueden hacer que la piel debajo se vuelva ondulada o fibrótica. Compruebe la suavidad de la prenda al conducir y sentarse. Shiffman dice que "después de la liposucción, los pliegues de la prenda pueden provocar indotaciones y fibrosis subcutánea. La prenda debe ser revisada el primer día postoperatorio y el paciente debe ser informado de cómo prevenir o limitar los pliegues de la prenda (especialmente una faja abdominal)" (2006, 335).

- **Piezas de espuma que no proporcionan ni siquiera compresión alrededor del torso.** Es posible que tenga que cambiar o personalizar sus piezas de espuma.

¡Cuida tus prendas! Lávelos de acuerdo con las instrucciones de la etiqueta. He aquí algunos consejos para el cuidado de sus prendas de vestir posquirúrgicas:

Las prendas **Bonito & Co.**® "no pueden ser lavadas a máquina y secadas a máquina. Por favor, lave su prenda a mano (con un detergente suave) y déjela secar al aire libre (unas 5 horas para que se seque), y cuando esté seca, colóquela en la bolsa en la que la recibió y colóquela en la nevera durante 20-30 minutos, lo que permite que las fibras del material de alta calidad se reconstituyan y vuelvan a comprimir, de modo que obtenga exactamente la misma relación de compresión, como cuando era nueva, y la máxima compresión cada vez que se ponga la prenda" (Preguntas Frecuentes, 2019).

Las prendas **ClearPoint Medical**® deben lavarse a mano en agua fría con un detergente suave, enjuagar con agua fría y colgar secas" No se recomienda lavarlas a máquina ni secarlas con lejía. El sitio web de la compañía recomienda que "elimine las manchas frotando bicarbonato de sodio, un compuesto respetuoso con el medio ambiente, en la(s) zona(s). El bicarbonato de sodio también puede ser usado como una alternativa al detergente" (Preguntas Frecuentes, s.f.).

Las prendas **Contemporary Design**® recomiendan "lavar a mano la prenda de compresión en agua tibia con un detergente suave y luego secarla al aire libre". Por favor, no seque su prenda en un secador a gas o eléctrico, ya que podría arruinarla. Dejar secar al aire libre, no escurrir. Las telas delicadas o sintéticas tienden a secarse rápidamente. Para quitar las manchas de sangre, simplemente remoje su prenda en un recipiente con agua fría mezclada con una taza de peróxido" (How to Videos & Care, n.d.)

Design Veronique® recomienda que sus prendas tengan "lavado en agua fría y secado en línea".

Para quitar las manchas, remoje el producto en 2 a 3 galones de agua fría con una taza de peróxido durante 15 minutos y siga las instrucciones de cuidado recomendadas" (The Fitting Room, n.d.).

Las prendas de vestir **HK Surgical**® deben lavarse a máquina y colocarse en posición horizontal para que se sequen.

Las prendas de compresión **Isavela**® deben "lavarse a mano en agua fría con un lavado suave de la tela". No use blanqueador. Enjuague bien en agua fría y seque por goteo". Remoje la prenda en "2 a 3 galones de agua fría y 1/2 taza de peróxido durante 30 minutos" (Direction Of Use And Care, n.d.).

Las fajas de cirugía plástica **Jobst**® se pueden lavar a mano o a máquina en una bolsa de malla para ropa sucia. La compañía recomienda usar agua tibia, un jabón suave o detergente y desaconseja el uso de suavizantes de telas (Wear & Care, n.d.).

Las instrucciones de la prenda **Leonisa**® son: lavar a mano en frío, no secar en secadora, no usar lejía, usar un detergente suave.

Las prendas de compresión **Marena**® se lavan a máquina suavemente y se secan en secadora a baja temperatura (Instrucciones de cuidado, sin fecha).

Las prendas **Medical Z**® deben lavarse a 30 grados centígrados y secarse a máquina.

Las prendas **Rainey Recovery Wear**® deben lavarse en agua fría con detergente suave, en ciclo regular y en secadora sin calor.

Las prendas de vestir **Ease**® deben lavarse "de acuerdo con la etiqueta de cuidado adherida a la prenda". Para obtener mejores resultados, lávese en una bolsa de lencería. No use blanqueador de cloro ni suavizante de telas. Secar en secadora o colgar para secar" (Garment Care, 2017).

Prendas de micro-masaje:

Las prendas **Bioflect**® FIR Therapy deben lavarse a mano con un detergente suave y dejarse secar a mano. Las prendas también se pueden lavar a máquina en el ciclo delicado. No utilice suavizante de telas ni limpiador en seco (Información General de Productos y Preguntas Frecuentes, s.f.)

Las prendas de microfibra de poliamida **CzSalus**® se pueden voltear del revés y lavar a máquina a una temperatura más baja.

Las prendas **Solidea**® se pueden lavar a mano con un detergente suave. Exprima suavemente el exceso de agua (no la retuerza) y acuéstela en posición horizontal para que se seque. La prenda también se puede lavar a máquina en una bolsa de lencería con agua tibia en el ciclo delicado y secarse a baja temperatura. No recomiendan el uso de blanqueador, suavizante de telas u otros aditivos de lavandería (Garment Care, n.d.).

Más consejos para prendas de compresión

Lave su prenda de compresión diariamente. Si necesitas una ducha, también lo hace tu ropa.

El secado al aire es bueno, pero si la etiqueta dice que puedes secar la prenda a máquina, pon tu prenda de compresión en la secadora durante unos minutos también. Ayudará a que la prenda mantenga su forma.

El sol descompone el elástico, así que mantenga las prendas de compresión fuera del sol tanto como sea posible.

Las lociones pesadas y grasosas rompen el elástico de la prenda. Mantén tu piel hidratada e hidrata tu cuerpo con una loción de pH bajo, pero deja que se absorba completamente en tu piel antes de ponerte la prenda.

Si es difícil sentarse a orinar en la prenda, considere la posibilidad de usar un embudo para orinar. Están hechos de un material flexible y con forma que le permite orinar de pie. Esto es especialmente útil después de una cirugía de aumento de senos si tiene dificultad para pararse desde una posición sentada.

Si sus piernas comienzan a desarrollar ampollas en la prenda, por favor pídale a su médico que lo revise para detectar enfermedades arteriales.

Si su prenda de compresión tiene una abertura para que usted vaya al baño, asegúrese de que la piel de sus muslos permanezca completamente dentro de la prenda, para que sus piernas se beneficien de la compresión de la prenda.

Si le resulta difícil ponerse la prenda, el vídeo "Mi FAJA no le queda bien" contiene algunos consejos: https://youtu.be/7kMBiGfE7iE. Este video de Curvy Gyals titulado "Curvy Gyals- How To Put On Our St. Azar Traditional Faja" también puede ser útil: https://youtu.be/34jkAFe2RKU.

Reduzca la inflamación cuando viaja

Asegúrese de usar sus prendas de compresión cuando esté volando. En el artículo de investigación "The Effect of Compression Stocking on Leg Edema and Discomfort During a 3-hour Flight: A Randomized Controlled Trial" publicado en el European Journal of Internal Medicine, Olsen et al (2019) encontró que "las medias de compresión reducen la formación de edemas en pasajeros jóvenes y sanos durante un vuelo de tres horas". Muchos de mis clientes de cirugía post-plástica deben viajar por sus carreras. Mientras viaja, es una buena idea usar prendas de compresión tanto como sea posible, caminar durante el vuelo o en paradas de descanso si viaja en auto, y reservar sesiones adicionales de masaje con drenaje linfático después del viaje para reducir la inflamación.
La aerolínea Qantas ofrece un video de ejercicios de

estiramiento que puedes hacer en un avión en https://youtu.be/Gv7enzl7Yq8. Un consejo simple es realizar un minuto de bombeo de tobillo (flexión y extensión) una o dos veces por hora cuando está despierto en el vuelo - puede aumentar el flujo sanguíneo hasta por treinta minutos.

El agua ayuda a reducir la inflamación

La presión del agua es otra forma de compresión externa. Pasar tiempo en el agua ayuda a reducir la hinchazón. El equipo de Huesos, Músculos y Articulaciones de la Clínica Cleveland recomienda ejercicios que mueven las articulaciones del tobillo y la rodilla, como caminar y nadar, para reducir la inflamación (Cleveland Clinic, 2016). La presión del agua en la parte inferior del cuerpo cuando se está de pie en una piscina u otra masa de agua también es efectiva para reducir la hinchazón, así que los aeróbicos acuáticos son otra gran opción.

¿Cómo sabes que está funcionando? ¡Querrás hacer pis! Asegúrese de preguntarle a su médico antes de entrar a la piscina o al océano. Usted querrá esperar hasta que las cicatrices estén cerradas y sanando bien.

¡Ayuda! ¡Estoy hinchada ahí abajo!

¿Tiene hinchazón en sus partes privadas justo después

de la cirugía? Shiffman dice que "el edema labial y escrotal es común pero temporal" (2006, 99). Dixit y Wagh (2013) dicen que "también hemos observado una presentación serómica única cuando el líquido gravita hacia el escroto o los labios después de una liposucción abdominal, especialmente de la grasa púbica. En nuestra experiencia.... por lo general se asienta sobre 10 días a 2 semanas.... Hemos logrado prevenir en gran medida este problema restringiendo la movilidad excesiva durante los primeros 3 días después de la cirugía y haciendo que los pacientes usen una prenda interior ajustada sobre la prenda de compresión".

Según la fisioterapeuta de salud femenina Michelle Lyons, "el orgasmo puede ser una gran manera de disminuir el estancamiento y mejorar la circulación en la pelvis, ya que el orgasmo femenino es una serie de contracciones rítmicas de los músculos del suelo pélvico, con una diferencia de 0,7 segundos". Ella señala que "el orgasmo también promoverá hormonas felices como la dopamina, la oxitocina y la serotonina y mantendrá bajos los niveles de cortisol, lo que favorece la funcionalidad parasimpática, la cicatrización de heridas y la resistencia inmunológica".

Lyons comparte que "el otro factor clave del éxito sería evitar el estreñimiento, así que la hidratación, una dieta rica en verduras y frutas y el movimiento, una caminata diaria de 20 minutos ha demostrado ser efectiva, y en general también sería beneficiosa para la recuperación quirúrgica".

Pregúntele a su cirujano cuándo está bien tener relaciones sexuales, ya sea con usted mismo o con otra persona. Puede encontrar recursos gratuitos sobre la salud del suelo pélvico y la reducción del estreñimiento en el sitio web de Lyon https://celebratemuliebrity.com.

La compresión también puede ayudar. Usted puede comprar una pieza de espuma especial diseñada para ayudar a las mujeres con linfedema genital si le preocupa la hinchazón genital. Más información sobre la prenda en https://youtu.be/_3RI-A3Gwfs.

Cintas de Kinesiología.

Muchos terapeutas de linfedema, masajistas, fisioterapeutas y entrenadores deportivos utilizan cinta de kinesiología para reducir la inflamación en sus clientes. La teoría detrás del uso de la cinta de kinesiología para reducir la inflamación es que la cinta levanta suavemente la piel, cambiando la presión intersticial y estimulando a los vasos linfáticos a tomar más líquido de vuelta al corazón. La clave para una grabación efectiva de kinesiología linfática es no poner absolutamente ningún estiramiento en la cinta a medida que se aplica.

Se ha comprobado que las cintas adhesivas para kinesiología funcionan después de la cirugía ortopédica. En el estudio, "The effectiveness of **Kinesio Taping**® after total knee replacement in early postoperative rehabilitation period. Un ensayo clínico aleatorizado", publicado en el *European Journal of Physical and Rehabilitation Medicine*, Donecand Krisčiūnas encontró que la "técnica Kinesio taping®, aplicada durante el estudio, parecía ser beneficiosa para reducir el dolor postoperatorio, el edema y mejorar la extensión de la rodilla en el período de rehabilitación postoperatoria temprana" (2014).

Pregúntele a su cirujano plástico si el uso de cinta de kinesiología para reducir la hinchazón es adecuado para usted. Puede ser una buena opción, incluso si usted está usando una prenda de compresión sobre su área de hinchazón. Asegúrese de hacer una prueba de parche por adelantado para asegurarse de que no tiene sensibilidad a la cinta.

Puede ser difícil retirar la cinta de kinesiología si tiene la piel sensible o si la cinta está demasiado apretada. Proteja su piel saturando el área de la cinta con una bola de algodón empapada con aceite de oliva antes de retirarla. Espere unos minutos, luego vuelva a saturar el área con más aceite de oliva a medida que retire la cinta. Un compañero Terapeuta Certificado en Linfedema compartió otro consejo conmigo: aplicar una capa delgada de hidróxido de magnesio (**Leche de Magnesia®**) y dejarla secar antes de aplicar la cinta de kinesiología puede reducir la sensibilidad de la piel.

Clare Anvar y yo fuimos oradores en la Conferencia MLD UK 2019 en Gran Bretaña y tuve la oportunidad de ver algunas de sus técnicas de grabación post-cirugía plástica en persona. Para más información sobre las cintas de kinesiología después de la cirugía plástica, lea su artículo "On Tape" en http://media.wix.com/ ugd/1e5d09_2155c62b8ba245c181ed4379bb016c1c. pdf.

Kenzo Kase también tiene una excelente guía para profesionales titulada: Kinesio Taping for Lymphoedema and Chronic Swelling.

Vibración

La oscilación profunda es uno de los varios tratamientos que utilizan la vibración para reducir el edema. En el artículo "Seguridad y eficacia del masaje por vibración mediante oscilaciones profundas: Un estudio observacional prospectivo", publicado en Evidence Based Complementary and Alternative Medicine, Kraft et al. dicen que "el masaje de oscilación profunda se utiliza para estimular la absorción del edema, reducir el dolor y aliviar la cicatrización de heridas, así como por sus efectos antiinflamatorios y antifibrosos". Una máquina de oscilación profunda crea "un campo electrostático pulsante de baja intensidad y frecuencia entre el aplicador manual y el tejido del paciente" que afecta a "la piel, el tejido subcutáneo, los músculos, los vasos sanguíneos y los vasos linfáticos, y presumiblemente un aumento de la circulación vascular local" (2013). Una gran mayoría de los terapeutas en la conferencia MLD UK a la que asistí en

2019 usan oscilación profunda en sus pacientes, pero no es tan ampliamente usada en los Estados Unidos.

Otras terapias de vibración que pueden reducir el edema incluyen rebotar suavemente en un rebote y usar una máquina de vibración de cuerpo entero. Pregúntele a su cirujano plástico si el uso de la vibración es adecuado para usted. Es posible que deseen limitar estos tipos de terapias inmediatamente después de la cirugía.

Tratamientos de enfriamiento.

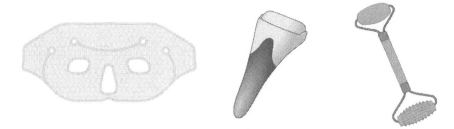

Las técnicas de enfriamiento fomentan la vasoconstricción y son una buena manera de reducir temporalmente el dolor, la inflamación y la hinchazón. El enfriamiento también se puede utilizar para la hinchazón diaria, ¡especialmente la mañana después de una noche de diversión! Asegúrese de preguntarle a su cirujano plástico si está bien usar técnicas de enfriamiento en su cara y cuerpo antes de probar estos productos. Recomendaría NO usar técnicas de enfriamiento en el área afectada si se ha realizado una transferencia de grasa. Para reducir el riesgo de congelación, por favor no use tratamientos de enfriamiento en las áreas de la piel que aún se sienten entumecidas después de la cirugía.

- **Mascarilla facial:** Uso una mascarilla facial de plástico que se puede guardar en el refrigerador para reducir la hinchazón de los ojos y la cara.
- **Rodillo frontal:** ¡En 2015, todas las revistas de belleza y bloggers descubrieron los rodillos faciales! Todavía trabajan para reducir la hinchazón en la cara. Guardo mis rodillos faciales en el congelador. Utilice el diagrama linfático de la cara para rodar en la dirección del drenaje linfático.
- **Máscara de hoja:** Una palabra de precaución sobre el uso de máscaras de hojas. Un ingrediente popular para reducir la inflamación es la cafeína. La cafeína aplicada tópicamente tiene una fuerte reputación de reducir la hinchazón, pero un estudio publicado en el International Wound Journal de julio de 2014 encontró que la cafeína puede afectar negativamente la cicatrización de heridas (Ojeh et al., 2016). No te preocupes, esto no significa que no puedas tomar café. Mi consejo: pregúntele a su cirujano plástico si está bien usar cafeína cerca del área de la incisión.
- **Rodillo de Jade:** Cuando se utilizan correctamente de acuerdo con el diagrama de drenaje linfático, los rodillos de jade pueden ayudar a estimular el drenaje linfático. El jade se está enfriando y puede ser almacenado en el refrigerador o congelador.
- **Compresas frías:** La Sociedad Americana de Cirugía Plástica Estética (ASAPS) recomienda que los clientes que se están recuperando de un

estiramiento facial "apliquen compresas frías (no frías) en sus ojos.... Sumérjase en agua helada y escúrrase bien con paños o gasas blancas y blandas. Aplicar directamente en los ojos, pero no en las mejillas o el cuello. No aplique ninguna presión. Aplique compresas frías a intervalos no mayores de veinte minutos" (Estiramiento facial, 2018).

Más formas de reducir la inflamación.

Qué comer para reducir la inflamación.

Es importante asegurarse de que está recibiendo suficientes proteínas, vitaminas y minerales en su dieta para apoyar el proceso de curación.

Dixit y Wagh (2013) dicen que "el edema persistente también puede estar relacionado con la anemia preoperatoria, la reducción de las proteínas séricas y el mal funcionamiento de los riñones, todo lo cual es una contraindicación para la cirugía". Asegúrese de estar recibiendo suficiente hierro y proteína en su dieta. Algunos suplementos, incluyendo la cúrcuma, pueden inhibir la capacidad de su cuerpo para absorber hierro (Smith &Ashar, 2019).

En el artículo "Factors That Impair Wound Healing", publicado en el Journal of the American College of Clinical Wound Specialists, Anderson y Hamm dicen que "la ingesta insuficiente de proteínas puede evaluarse utilizando marcadores hematológicos como la albúmina y la prealbúmina o el recuento total de linfocitos. Otras herramientas de diagnóstico, como el índice nutricional de Rainey MacDonald (RMNI) o la Mini-evaluación nutricional (MNA), son útiles para evaluar el riesgo o la presencia de desnutrición proteica" (2014).

Si le preocupa su dieta, hable con su cirujano, médico de atención primaria o dietista para asegurarse de que está recibiendo la nutrición que necesita.

Cómo dormir para reducir la inflamación.

Muchos cirujanos plásticos recomiendan que sus pacientes duerman con la cabeza elevada sobre dos o tres almohadas durante unas semanas después de la cirugía de estiramiento facial. La elevación de la cabeza utiliza la gravedad para ayudar a drenar la hinchazón postquirúrgica a través del sistema linfático. Sí, es probable que su cuello se sienta rígido por dormir así, pero vale la pena. ASAPS recomienda que mientras se recupera de un lifting facial (facelift) usted "duerma con la cabeza elevada cuarenta grados durante dos semanas; una almohada adicional o dos debajo de su colchón pueden ayudar, si es necesario" (Facelift, 2018).

¿Cómo puedes asegurarte de que no estás durmiendo de lado? En su libro Straight Talk About Cosmetic Surgery, el Dr. Arthur W. Perry recomienda que sus clientes de estiramiento facial también usen una "almohada de viaje en forma de U o una almohada con brazos" para recordarles que no deben darse la vuelta mientras duermen. Alternativamente, los pacientes pueden intentar dormir en un sillón reclinable (2007). Otra opción es colocar almohadas debajo de los brazos a cada lado del torso para reducir la capacidad de voltearse.

Cepillado en seco.

El cepillado en seco consiste en cepillar la piel con un tipo específico de cepillo para activar el sistema linfático. ¿Funciona? ¿Cuáles son algunos consejos para obtener los mejores resultados? El problema es que la mayoría de lo que leo en línea son exactamente las mismas "reglas" sin ninguna explicación de dónde vienen o si tienen algún respaldo en la ciencia.

Vamos a abordar primero la parte de la ciencia. Encontré tres artículos que consultan a expertos médicos. La Clínica Cleveland recomienda el cepillado en seco para promover el flujo linfático y el drenaje (Starkey, 2015). El New York Times informa que la Dra. Tina S. Alster, profesora clínica de dermatología en el Centro Médico de la Universidad de Georgetown, encuentra que el cepillado en seco ayuda a que el sistema linfático "funcione mejor" (Saint Louis, 2010).

Mis claves para el cepillado en seco son usar un cepillo suave y cuidar la integridad de la piel, especialmente si el sistema inmunológico está comprometido. La apoplejía no sólo debe acariciar o deslizarse sobre la piel. Tenemos que mover y estirar la piel para abrir los vasos linfáticos iniciales y reducir la hinchazón.

Mis 5 mejores consejos sobre cómo secar el cepillo.

* Si usa cerdas naturales, asegúrese de que su cepillo seco nunca se haya usado (mojado) en la ducha o el baño. Mantenga uno separado sólo para el cepillado
* Si tiene cuidado al usar cerdas naturales debido a la posibilidad de que se dañe la piel, use un cepillo de pelo suave y gomoso para mascotas para cepillarse en seco.
* Pinceles que siguen la vía del sistema linfático
* Cepíllese antes de ducharse o a primera hora de la mañana, cuando la piel está seca
* ¡No te cepilles demasiado! Deténgase antes de que la piel se vuelva sensible o se enrojezca.
* Hidratar después del cepillado en seco (o después de la ducha después del cepillado)

Si desea probar el cepillado en seco, utilice el siguiente diagrama:

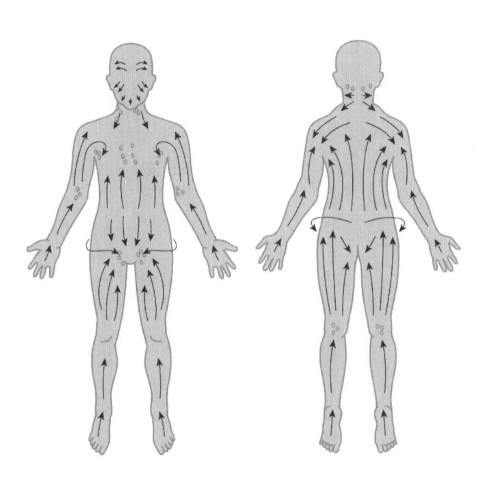

Pídale a su cirujano que le dé su aprobación antes de intentar el cepillado en seco y evite cepillarse las incisiones. A menudo puede cepillar todas las demás áreas de su cuerpo, evitando solamente la piel alrededor del área quirúrgica.

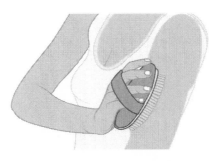

¿Cuáles son algunas de las maneras en que ha sanado su hinchazón en el pasado? ¿Tus padres o abuelos tenían un remedio casero que funcionaba? Escribe aquí ese consejo:

_____

_____

Una nota final sobre la hinchazón.

Hay algunas formas de hinchazón que el drenaje linfático manual y el ejercicio no pueden ayudar. Si sólo una pierna o brazo está hinchado y la hinchazón aparece repentinamente, hágaselo saber a su médico inmediatamente. Puede ser un coágulo de sangre. Si una extremidad se hincha debido a una infección, un coágulo de sangre, insuficiencia cardíaca o renal, no se permite el masaje linfático.

"El yo no es algo que uno encuentra; es algo que uno crea." — *George Bernard Shaw.*

CAPÍTULO 4

CÓMO REDUCIR LOS MORETONES.

Después de mi accidente de esquí, mi jefe me envió a casa a sentarme en mi sofá por unos días antes de mi cirugía porque los moretones en mi cara eran tan horribles. Incluso cuando los moretones no duelen tanto, el sólo hecho de ver nuestros cuerpos de color negro y azul activa pequeñas campanas de alarma en nuestra cabeza. No queremos mirarnos a nosotros mismos y tampoco queremos que nadie más nos vea.

Todos tenemos moretones, ¿pero ¿qué es lo que pasa exactamente cuando tenemos un moretón? Schafer dice que "los moretones son el resultado de la acumulación de sangre en el tejido subcutáneo debajo de la piel o en las membranas mucosas" (2001). Olesen y Olesen dicen que "a medida que la sangre es absorbida por el cuerpo, el color del hematoma cambia gradualmente de morado a rojo a verdoso y luego a amarillo" (2005). La cantidad de moretones que usted tendrá después de la cirugía depende en parte de su cuerpo individual. Dixit y Wagh encontraron que los moretones severos generalmente estaban relacionados con el tabaquismo crónico o el uso de anticoagulantes (2013). He visto moretones extensos y poco o nada de moretones en diferentes clientes después del mismo tipo de operación.

¿Cómo podemos ayudar a que los moretones sanen más rápido?

Shiffman dice que "la compresión sobre las áreas de liposucción ayudará a limitar los moretones. Esto incluye el uso de prendas de vestir, cinta elástica y apósitos de espuma (almohadillas de poliuretano)" (2006, 333).

La grabación de Kinesiología puede reducir dramáticamente la aparición de moretones. La cinta parece funcionar levantando la piel del cuerpo, lo que estimula la circulación.

Los doctores Michael Hamman y Mitchel Goldman comparten información sobre cómo reducir los moretones en el artículo "Minimizando los Moretones Después de los Rellenos y Otros Inyectables Cosméticos" publicado en el Journal of Clinical and Aesthetic Dermatology. Hamman y Goldman recomiendan que "si la aspirina no es médicamente necesaria, debe mantenerse durante una semana antes de cualquier procedimiento inyectable. El paciente también debe evitar el uso de medicamentos antiinflamatorios no esteroides durante cinco días antes de cualquier procedimiento". También dicen que "altas dosis de vitamina E, ginkgo biloba y ajo tienen reportes de casos y estudios que demuestran un aumento en el sangrado y/o moretones. Muchos médicos recomiendan que los pacientes dejen de tomar estas dos semanas antes de cualquier procedimiento" (2013).

Varios cirujanos plásticos que conozco recomiendan árnica montana para ayudar con el dolor y los moretones después de la cirugía. Otros cirujanos no quieren que sus pacientes usen nada en la piel. A veces uso árnica montana de forma tópica en mi estudio de masajes con clientes.

Algunos de mis clientes comen más piña después de la cirugía porque la piña cruda contiene bromelina. En el artículo "Nutritional Support for Wound Healing" (Apoyo nutricional para la cicatrización de heridas), MacKay y Miller dicen que "750-1.000 mg de bromelaína postoperatoria puede reducir el edema, los moretones, el dolor y el tiempo de cicatrización después de un traumatismo y procedimientos quirúrgicos" (2003).

Asegúrese de tener una conversación con su cirujano antes de comenzar o dejar de tomar cualquier medicamento o suplemento.

¿Cuáles son algunas de las formas en que ha sanado sus moretones en el pasado? ¿Tus padres o abuelos tenían un remedio casero que funcionaba? Escribe ese consejo aquí:

_____

_____

"Uno debe ser una obra de arte, o usar una obra de arte."
— Oscar Wilde.

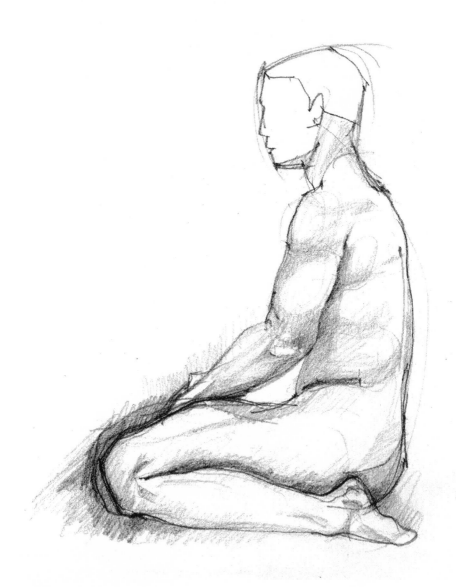

CAPÍTULO 5

CÓMO MEJORAR LAS CICATRICES Y LA FIBROSIS

Centrémonos primero en las cicatrices y luego hablemos de la fibrosis después de la liposucción. Tuve suerte de que mi cirugía reconstructiva facial no dejara cicatrices en mi piel (una de las incisiones estaba en el párpado inferior y la otra en la boca), pero la cirugía de Mohs para el cáncer de piel en mi cara dejó una cicatriz que al principio fue muy impactante y molesta para mí. Afortunadamente, esa cicatriz se ha desvanecido. Utilicé tiras de cicatriz y tratamiento con láser en los meses posteriores a mi cirugía para reducir su color y prominencia.

Una pregunta que escucho a menudo de mis clientes es: ¿Cuándo se desvanecerá mi cicatriz? Engler dice que "las cicatrices normalmente se desvanecen aceptablemente (típicamente dentro de varios meses, aunque puede tomar hasta uno o dos años para que una cicatriz madure completamente), pero no hay garantía de que lo hagan. Los diferentes tipos de piel sanan de manera diferente. En general, la piel más gruesa sana menos bien (es decir, deja peores cicatrices) que la piel más delgada" (2000).

Láseres y Cicatrices

Si se siente nervioso y cohibido acerca de sus cicatrices, hable con su cirujano o dermatólogo al principio de su recuperación y haga un plan para tratar sus cicatrices.

¿Qué tipo de tratamientos pueden ayudar a las cicatrices? En el libro *Instant Beauty*, el Dr. Steven H. Dayan dice que "hemos aprendido de los tratamientos con láser para eliminar las arrugas que podemos influir en la forma en que el colágeno se remodela a sí mismo después de un tratamiento con láser. Por lo tanto, usando esta misma filosofía, ahora me dirijo a las cicatrices muy temprano con una serie de tratamientos con láser ablativo de erbio" (2007).

En el artículo de revisión "Advances in the Treatment of Traumatic Scars with Laser, Intense Pulsed Light, Radiofrequency, and Ultrasound" publicado en *Burns & Trauma*, Fu et al. dicen que "el tratamiento de las cicatrices traumáticas se compone de intervenciones quirúrgicas y no quirúrgicas como la terapia de presión, silicona, corticosteroides y radioterapia. El artículo proporciona detalles sobre los efectos de los diferentes láseres en las cicatrices. Le animo a que lo lea si desea hablar con su cirujano sobre el uso de láser, IPL, radiofrecuencia o ultrasonido en su cicatriz: https://www.ncbi.nlm.nih.gov/pmc/articles/PMC6350396.

Plasma rico en plaquetas (PRP) y cicatrices

En el artículo "The evidence behind the use of platelet-rich plasma (PRP) in scar management: a literature review", publicado en *Scars, Burns & Healing,* Alser & Goutos dice: "El plasma rico en plaquetas (PRP) es un producto cada vez más popular utilizado en una variedad de intervenciones médicas, quirúrgicas y estéticas; se obtiene girando la propia sangre del paciente y aplicándolo de nuevo en una zona del cuerpo que se somete a una intervención". Los autores realizaron una revisión de la literatura y encontraron que "con respecto a las cicatrices quirúrgicas, los datos actuales sugieren que la PRP puede mejorar la cicatrización de la herida y la calidad de la cicatrización precoz; además, la incorporación de PRP en los procedimientos de injerto de grasa realizados conjuntamente con láser fraccional no ablativo puede contribuir a una mejor cicatrización de la herida, así como a una mejora significativa de la textura, el color y el contorno en el rejuvenecimiento de cicatrices traumáticas" (Alser & Goutos, 2018).

Cicatrices de la cirugía de senos

Las cicatrices antiestéticas de la reducción mamaria pueden ser complicadas de tratar. Engler dice que "las revisiones de cicatrices... son procedimientos, diseñados para mejorar la apariencia de las cicatrices, en los que se eliminan las cicatrices indeseables y se vuelve a coser la piel con varias capas de suturas bajo mínima o ninguna tensión. A menudo se inyectan esteroides durante y después de este procedimiento para ayudar a prevenir que las cicatrices se reformen" (2000).

Pregúntele a su cirujano cuándo está bien comenzar a usar técnicas de masaje de cicatrices y otras intervenciones como láser y ventosas de masaje en las cicatrices de sus senos.

Cicatrices de Cirugía Facial

Muchos de mis clientes de estiramiento facial están preocupados por la cicatriz detrás de sus orejas. En su libro *The Facelift Bible: Incluyendo los Diarios del Lifting Facial (Facelift)*, Sasada y Guest dicen que "a veces se producen protuberancias en la cicatriz. Esto suele ser mínimo y afecta principalmente a la piel detrás de la oreja. Se debe al hecho de que la piel detrás de la oreja es mucho más gruesa que en cualquier otra parte de la cara. Esto puede responder al masaje y a la'tintura del tiempo'" (2016). Además, Perry dice que después de un lifting facial (facelift), "los pequeños bultos son comunes y requieren masaje" (2007). A menudo siento secciones más duras de hinchazón en la cara, particularmente cerca del ángulo de la mandíbula y debajo de la barbilla. Estos desaparecen con un masaje manual continuo de drenaje linfático y ventosas linfáticas suaves. También he sentido puntos interiores en la cara y el cuello cerca de la oreja. Por lo general, se disuelven. Dígale a su cirujano si uno de sus puntos lo pone nervioso.

Cicatrices de la abdominoplastia

Es importante cuidar bien la cicatriz de una cirugía estética de abdomen. La buena noticia es que el color rojo enojado se desvanece con el tiempo. Es importante que no se estire ni se mueva más de lo que su cirujano le permita. Engler explica que "para lograr el máximo resultado estético, los tejidos abdominales deben estar cerrados bajo una cierta tensión; de lo contrario, la piel puede estar demasiado floja, lo que contradice parcialmente la finalidad del procedimiento. El exceso de tensión aumenta la posibilidad de una cicatriz menos deseable" (2000). Le daré más consejos para que cuide su cicatriz de la cirugía estética de abdomen más adelante en el capítulo.

¿Es asimétrica la cicatriz de la cirugía estética de abdomen? En el artículo "Asimetría de cicatrices después de la abdominoplastia: The Unexpected Role of Seroma" publicado en los *Annals of Plastic Surgery*, di Summa et al. dicen que "los seromas silenciosos deben ser considerados como un posible factor etiológico de las asimetrías de cicatrices que aparecen durante el seguimiento tardío después de la abdominoplastia". En algunos pacientes, "la cápsula fibrosa debida a seromas crónicos provocó una desviación y asimetría de la cicatriz abdominal. La capsulectomía quirúrgica seguida del uso de prendas compresivas resultó ser un tratamiento efectivo con un resultado estético agradable y sin recurrencia del seroma" (2013). Pídale a su médico que le haga una ecografía si sospecha que tiene un seroma crónico encapsulado.

Cicatrices de la liposucción

La Sociedad Americana de Cirugía Plástica Estética (ASAPS) dice que "hay dos tipos de marcas que pueden permanecer en la piel después de la liposucción. Una es una verdadera cicatriz y la otra es conocida como discromía, que es una mancha oscura (hiperpigmentada) o clara (hipopigmentada) en la piel" (Liposucción, 2018). Algunos de mis clientes tienen cicatrices de cánulas de liposucción hundidas, especialmente en el torso. Engler dice que las irregularidades en las cicatrices de la liposucción"pueden deberse al trauma del movimiento de ida y vuelta de la cánula a medida que pasa repetidamente a través de la incisión en la piel, a una ligera sobre-resección (remoción) de grasa en esa región, ya que allí se producen más accidentes cerebrovasculares de la cánula, o ambos" (2000).

Incisiones abiertas o cerradas en la liposucción

Dejar las incisiones de la liposucción abiertas permite que el líquido drene del cuerpo, pero puede ser complicado para el paciente cuidar de sus heridas que drenan constantemente. Engler usualmente no deja sus incisiones abiertas porque "una incisión que ha sido suturada normalmente producirá una cicatriz mejor (menos notoria) que una que ha sido dejada abierta" (2000).

Cómo cuidar su cicatriz

Lo primero es lo primero: ¡trata tus cicatrices con cuidado! Por favor no seque el cepillo ni trate de exfoliar su cicatriz quirúrgica.

Descubrí que el uso de una lámina de cicatriz de silicona me ayudó con la cicatriz de mi cirugía facial. En el artículo "Overview of Surgical Scar Prevention and Management" publicado en el *Journal of Korean Medical Science*, Son & Harjian dicen que "las láminas de gel de silicona o crema a base de aceite de silicona han demostrado ser eficaces para limitar el crecimiento hipertrófico de las cicatrices". El uso de silicona aumenta la hidratación y la temperatura de la piel. Los autores recomiendan que las personas en riesgo de desarrollar cicatrices hipertróficas comiencen a usar láminas de gel de silicona "tan pronto como dos semanas después de una operación... cada dos horas con intervalos de descanso de 30 minutos entre ellas". El intervalo aumenta gradualmente a cuatro horas con intervalos de descanso de 30 minutos. Esto se mantiene hasta seis meses después de la operación" (2014). Fu et al. explican que "los productos de silicona (gel de silicona, lámina, tira, crema, spray o espuma) se consideran capaces de inhibir eficazmente la hiperplasia de la cicatriz mediante múltiples mecanismos, incluyendo la hidratación, la polarización del tejido cicatricial y la elevación de la tensión local de oxígeno" (2019).

Pregúntele a su cirujano si está bien usar silicona o

cualquiera de los siguientes métodos para ayudar a sanar su cicatriz antes de probarlos usted mismo. Por lo general, se recomienda que los clientes esperen varias semanas antes de usar productos con cicatrices de silicona.

¿Qué hay de los tratamientos naturales que nuestros padres o abuelos podrían recomendar? En el artículo "Nutritional Support for Wound Healing", MacKay y Miller dicen que "la aplicación tópica postoperatoria de extractos de Aloe vera y Centella asiática puede facilitar la creación de una cicatriz flexible y fina con alta resistencia a la tensión en el sitio de la herida" (2003). Además, Bylka et al. en el artículo "Centella Asiatica in Cosmetology", publicado en *Advances in Dermatology and Allergology/Postępy Dermatologii i Alergologii, "Centella asiatica* (Gotu kola) es eficaz en el tratamiento de heridas, también en heridas infecciosas, quemaduras, y cicatriz hipertrófica" y que "el mecanismo de acción implica promover la proliferación de fibroblastos y aumentar la síntesis de colágeno y el contenido intracelular de fibronectina, así como mejorar la resistencia a la tracción de la piel recién formada e inhibir la fase inflamatoria de cicatrices hipertróficas y queloides" (2013).

En el artículo "Inhibitory Activities of Omega-3 Fatty Acids and Traditional African Remedies on Keloid Fibroblasts" (Actividades inhibidoras de los ácidos grasos omega-3 y remedios tradicionales africanos sobre los fibroblastos queloides), Olaitan et al. afirman que "la manteca de karité se utiliza tradicionalmente como un producto para el cuidado de la piel debido a sus propiedades hidratantes y a su capacidad de suavizar los tejidos de las cicatrices" y que "los aceites ricos en ácidos grasos omega-3 pueden ser eficaces para reducir la proliferación activa de los fibroblastos queloides" (2011). Asegúrese de que la manteca de karité sea completamente absorbida por su piel antes de ponerse la prenda de compresión y asegúrese de consultar con su cirujano antes de intentar cualquiera de estos tratamientos.

¿Importa la orientación de una cicatriz?

Las líneas Langer siguen la orientación natural de las fibras de colágeno en la piel. Si una incisión no sigue estas líneas, puede afectar la calidad de la cicatriz. La cinta adhesiva para la piel es una gran herramienta para reducir la tensión en las nuevas cicatrices. En el artículo "A Randomized, Controlled Trial to Determine the Efficacy of Paper Tape in Preventing Hypertrophic Scarmation in Surgical Incisions that Traverse Langer's Skin Tension Line," Atkinson et al. dicen que "la cinta de papel es probable que sea una modalidad efectiva para la prevención de la cicatrización hipertrófica a través de su capacidad de eliminar la tensión de la cicatriz" (Atkinson et al, 2005). Si usted ha desarrollado cicatrices hipertróficas o queloides en el pasado, pregunte a su cirujano plástico si el uso de cinta adhesiva para la piel es adecuado para usted.

Ayudando a las cicatrices mayores

¿Cómo puedes ayudar con tus cicatrices? ¡Masaje! En el artículo "Up-to-date Approach to Manage Keloids and Hypertrophic Scars: a Useful Guide", publicado en *Burns: Journal of the International Society for Burn Injuries*, Arno et al. dicen que "la terapia de masaje, manual o mecánica, es la terapia estándar en los centros de rehabilitación especializados en el tratamiento de cicatrices y quemaduras. Aunque no hay evidencia científica, se ha demostrado que la terapia de masaje no sólo reduce el dolor y la picazón relacionados con las cicatrices, sino que también aumenta el rango de movimiento" (2014).

Si usted tiene un rango de movimiento reducido o una sensibilidad aumentada alrededor de las cicatrices de la cirugía, la incorporación de cinco a diez minutos de masaje de cicatrices en sus sesiones de masaje regulares de una hora de duración puede traer alivio. Las técnicas de masaje de cicatrices pueden ser utilizadas por un terapeuta de masaje especialmente entrenado, un terapeuta ocupacional o un fisioterapeuta, con el permiso de su cirujano, comenzando dos meses después de su cirugía. Tengo entrenamiento avanzado en masaje de cicatrices post-oncológicas de cirugía de senos y también he trabajado con cicatrices de cirugía plástica, ortopédica y cardiotorácica.

Una vez que tenga el permiso de su médico para comenzar a masajear su área de cirugía, aquí están mis consejos para el auto-masaje de las cicatrices:

- Deje que las cicatrices sanen durante al menos dos meses antes de comenzar el automasaje.
- Use una pequeña cantidad de aceite (prueba de manchas para asegurarse de que no es alérgico)
- Use presión ligera, muévase lentamente y deténgase si la piel se enrojece o si se forman pequeños puntos rojos en la piel.
- Use masajes especiales para cicatrices (vea el video de la terapeuta de masaje Heather Wibbels en https://youtu.be/1vMvAJYikxo)
- Concéntrese en mover la cicatriz y la piel horizontalmente en lugar de empujar hacia abajo
- Limitar el automasaje de las cicatrices a menos de cinco minutos al día

¿Dermarolling para cicatrices y estrías?

El sitio web RealSelf es un gran recurso para investigar preguntas relacionadas con la recuperación de la cirugía plástica. Los clientes hacen las preguntas y los cirujanos plásticos de todo el país las contestan. Un método del que he oído hablar recientemente es el uso de un dispositivo de dermolimpieza para remodelar el tejido cicatricial más antiguo. Ver respuestas a la pregunta "¿Es cierto que dermaroller puede tratar viejas cicatrices y estrías?

Encuentre más consejos en RealSelf.com y cree un perfil para que pueda empezar a hacer preguntas. Mi perfil está en https://www.realself.com/user/3190163.

El Futuro: ¿Sin cicatrices?

¿Sabías que cuando la cirugía fetal se realiza en el útero, el bebé nace sin cicatrices? George F. Murphy, MD, profesor de patología de la Facultad de Medicina de Harvard y codirector del Programa de Piel de HSCI, se está centrando en el uso de células madre de la piel para curar heridas "regenerando el tejido en lugar de formar una cicatriz", que es lo que ocurre cuando nos lesionamos antes de nacer (Healing Without Scars, 2018). Esperamos que esta investigación encuentre una manera de utilizar las células madre para eliminar completamente la necesidad del cuerpo de formar una cicatriz después de una lesión.

¿Cuáles son algunas de las formas en que ha sanado sus cicatrices en el pasado? ¿Tus padres o abuelos tenían un remedio casero que funcionaba? Escribe ese consejo aquí:

_____

_____

¿Qué son esos bultos y protuberancias después de la liposucción?

La mayoría, si no todos, de mis clientes de liposucción comienzan a sentir bultos unos meses después de la cirugía. Schafer dice que "las protuberancias pueden ser causadas por tejido cicatrizal que se forma de manera irregular. Masajear el área ayuda a suavizar estas imperfecciones". Schafer también dice que "las irregularidades del contorno incluyen hoyuelos, ondulaciones, bolsas y grumos. La mayoría de estos problemas se mejoran con masajes, ultrasonido externo y ejercicio para ayudar a aumentar la circulación sanguínea" (2001).

¿Por qué estoy grumoso después de la liposucción?

Dixit y Wagh (2013) describen cuatro razones para los bultos y las protuberancias después de la liposucción:

- liposucción demasiado cerca de la superficie de la piel
- adherencias fibróticas
- piel flácida
- no llevar correctamente la prenda de compresión

¿Cómo podemos diferenciar estas razones?

Dixit y Wagh dicen que "las abolladuras superficiales debidas a la liposucción superficial excesiva persisten en la retracción de la piel y en la posición supina. Las abolladuras debidas a adherencias fibrosas al músculo subyacente empeoran en la contracción muscular y las abolladuras debidas a la redundancia de la piel pueden mejorar en la posición supina, pero definitivamente mejorarán en la retracción de la piel" (2013). McNemar et al. dicen que el tratamiento de la cara interna de los muslos a menudo produce resultados menos uniformes que el de la cara externa porque "la delgada y delicada piel de la cara interna de los muslos tiene más probabilidades de revelar cualquier irregularidad o desnivel debajo de la piel" (2006).

Tratamiento de la piel floja

¿Cuánto tiempo durará la pérdida de piel después de la cirugía de liposucción? Engler dice que "la absorción de la hinchazón y el recubrimiento de la piel puede tomar varias semanas o meses" (2000). Dixit y Wagh recomiendan que "los pacientes con la posibilidad de laxitud cutánea residual también deben ser informados de que necesitarían usar la prenda de compresión durante un período más largo, más allá de las 6 semanas habituales, hasta las 8-12 semanas para favorecer o permitir que se produzca la máxima retracción posible de la piel" (2013). Si la piel floja persiste durante más de seis meses, hable con su cirujano plástico sobre las opciones de estiramiento cutáneo.

Tratamiento de bultos, protuberancias y fibrosis

Primero, ¿qué es la fibrosis? Todos lo hemos sentido: bultos, protuberancias y puntos firmes debajo de la piel en los meses y años posteriores a la cirugía. En el artículo "Cellular and Molecular Mechanisms of Fibrosis"

(Mecanismos celulares y moleculares de la fibrosis), publicado en el *Journal of Pathology*, Wynn dice que "la fibrosis se define por el crecimiento excesivo, el endurecimiento y/o la cicatrización de varios tejidos y se atribuye a la deposición excesiva de componentes de la matriz extracelular, incluido el colágeno. La fibrosis es el resultado final de reacciones inflamatorias crónicas inducidas por una variedad de estímulos, incluyendo infecciones persistentes, reacciones autoinmunes, respuestas alérgicas, insultos químicos, radiación y lesiones tisulares" (2008).

En el capítulo de Complicaciones de la Liposucción del libro *Safe Liposuction and Fat Transfer*, Tremblay et al. dicen que "se cree que la liposucción cerca del plano subcutáneo-dérmico estimula la formación de colágeno, lo que generalmente resulta en una deseable retracción de la piel redundante. Algunos pacientes pueden desarrollar una respuesta fibroblástica exagerada que resulta en una induración subcutánea significativa" (Narins, 2003, 344).

En el artículo "Effect of Abdominal Liposuction on Sonographically Guided High-Intensity Focused Ultrasound Ablation" (Efecto de la liposucción abdominal en la ablación ultrasónica focalizada de alta intensidad guiada por sonografía), publicado en el *Journal of Ultrasound Medicine*, Zhao et al. dicen que la liposucción puede causar fibrosis porque "altera la estructura de los tejidos de la pared abdominal" y "estas alteraciones resultan en fibrosis de los tejidos subcutáneos y en la formación de cicatrices, lo que puede explicar por qué las paredes abdominales de los pacientes que se sometieron a la liposucción no se sintieron a la sensación de gomas" (2014).

Wynn menciona que la fibrosis está relacionada con la inflamación. ¿En el artículo "The Inflammation-fibrosis Link? A Jekyll and Hyde Role for Blood Cells During Wound Repair," publicado en el *Journal of Investigative Dermatology*, Stramer et al. encontró que "la reparación de tejido adulto siempre lleva a la formación de una cicatriz fibrótica donde la herida ha sanado. En los últimos años, ha quedado claro que la respuesta inflamatoria de la herida puede ser, al menos en parte, responsable de la fibrosis en los sitios de reparación de tejidos". ¿Es la clave para detener la inflamación? ¡No tan rápido! Stramer et al. también encontraron que "todavía hay muchas pruebas de que la inflamación tiene un papel importante que desempeñar en la orquestación de la reparación de tejidos adultos y que un bloqueo flagrante de la respuesta inflamatoria, incluso en presencia de los mejores antibióticos, no sería una terapia clínica útil" (2007).

¿En qué se diferencia la fibrosis de la hinchazón espesa y dura presente en las primeras semanas después de la cirugía? Wynn dice que "a diferencia de las reacciones inflamatorias agudas, que se caracterizan por cambios vasculares de rápida resolución, edema e inflamación neutrófila, la fibrosis suele ser el resultado de una inflamación crónica, definida como una respuesta inmunitaria que persiste durante varios meses y en la que se producen simultáneamente procesos de inflamación, remodelación y reparación del tejido", y que "la fibrosis se produce cuando la síntesis de nuevo colágeno por los miofibroblastos excede la velocidad a la que se degrada, de modo que la cantidad total de colágeno aumenta con el tiempo" (2008).

Si usted realiza una búsqueda de fibrosis en Internet, aprenderá que la fibrosis también puede ocurrir en los órganos. Stramer al. dice que "la fibrosis ciertamente no es exclusiva de la reparación de los tejidos de la piel. Cada órgano del cuerpo puede montar una respuesta de reparación que generalmente resulta en una lesión fibrótica" (2017).

Así que la fibrosis se debe a una inflamación crónica y es el endurecimiento y cicatrización de los tejidos. Tengo una enorme deuda con la terapeuta certificada de linfedema Karen Ashforth por compartir sus conocimientos sobre la comprensión y el tratamiento de la fibrosis en clientes con linfedema, lo que ha mejorado mi tratamiento de clientes posquirúrgicos. Ashforth dice que hay dos tipos diferentes de fibrosis: suave y leñosa. La fibrosis blanda es creada por la estasis linfática. La fibrosis dura es el tejido cicatricial de la cirugía, la radiación o la celulitis. Además, el tejido puede tener una de dos presentaciones: un gel o una textura leñosa.

Ashforth anima a los terapeutas certificados en linfedema a hacer un seguimiento de su progreso evaluando la extensibilidad de los tejidos antes y después de cada tratamiento - ¿cuánto más lejos se mueven la piel y el tejido subyacente en cada dirección después de una sesión de masaje? Saber esto le permitirá hacer un seguimiento de lo bien que están funcionando el drenaje linfático manual y otras técnicas de masaje para ayudarlo a sanar después de la cirugía.

¿Cómo podemos ayudar a reducir esos bultos y protuberancias? Primero veamos las tablas y las piezas de espuma.

Tableros abdominales y lumbares

Algunos cirujanos plásticos recomiendan que sus clientes de liposucción utilicen tablas abdominales y otros no reconocen su eficacia. Muchos clientes de liposucción abdominal utilizan tablas abdominales porque ayudan a mantener una buena postura, lo que reduce las irregularidades de la piel durante el proceso de cicatrización. M y D esta una marca popular.

Sotelo-Paz recomienda a sus clientes de liposucción usar tablas abdominales y lumbares. Ella recomienda que las tablas abdominales se usen a partir del día después de la cirugía de liposucción, pero sólo durante el día. Sotelo-Paz le dice a sus clientes que usen una tabla abdominal debajo de su prenda de compresión y sobre una delgada camiseta de tirantes y una sábana de lipoespuma. Ella recomienda que los clientes "coloquen la tabla lumbar debajo de la espuma de la lipoaspiración y la punta de la tabla lumbar debe ir justo por encima de la grieta de su trasero". Usted debe comenzar a usar esto un día después de la cirugía y seguir usándolo durante un mes" (2016).

Es posible que las tablas abdominales no estén indicadas para clientes de cirugía estética de abdomen; asegúrese de contar con el permiso de su cirujano antes de usar una tabla abdominal después de una abdominoplastia o liposucción.

Para los clientes con linfedema, recomendamos usar una capa de base junto a la piel (generalmente stockinette), luego una capa de espuma que envuelve toda la extremidad y luego capas de vendas cortas de compresión elásticas. Esta "receta" de capas puede ser adaptada para uso posquirúrgico reemplazando el stockinette por una camiseta de tirantes delgada o una prenda de micromasaje.

Si siente calor o sudor en la compresión, trate de usar una camiseta sin mangas hecha de bambú o una prenda que absorba el sudor.

El vendaje de compresión utilizado para reducir el edema en una persona con linfedema incluye varias capas de material, incluyendo una capa elástica para proteger la piel y absorber la transpiración, una capa de acolchado suave o desigual, a menudo hecha de espuma, y la compresión de estilo vendaje en sí misma (Foldi & Foldi, 2012, 529-532). Para la hinchazón posquirúrgica, se puede utilizar una camiseta de tirantes como fondo más tarde y piezas de espuma para el acolchado.

Una forma de poner en capas tu compresión:

- Capas de compresión del abdomen: camiseta sin mangas, espuma, tabla abdominal, prenda de compresión
- Capas de compresión de flanco: camiseta sin mangas, espuma, prenda de compresión
- Capas traseras de compresión: camiseta sin mangas, tabla lumbar, espuma, prenda de compresión

Acolchado de espuma para reducir la fibrosis

Como mencioné anteriormente, primero aprendí sobre el uso de la espuma como tratamiento para clientes con linfedema avanzado. Se pueden utilizar diferentes tipos de espuma para controlar tanto la hinchazón como la fibrosis. Un inserto hecho de espuma de chip o una pieza de espuma diseñada con canales o puntos puede ser una buena opción si se ha formado tejido fibrótico en las extremidades o el torso. Muchas clínicas de linfedema utilizan técnicas similares para reducir la fibrosis en sus pacientes. Por ejemplo, Ashforth comparte que la clínica del Hospital Dominicano de Santa Cruz utiliza "almohadillas y prendas de compresión de espuma de chip y hueso de cereza, prendas de compresión elásticas texturizadas, técnicas manuales especializadas, como la liberación miofascial y la movilización de los tejidos blandos asistida por instrumentos, y compresión neumática para mejorar la hinchazón dura de la musculatura que no retrocede con la elevación" (2011).

En el libro *Compression vendaging for Lymphedema Management (Vendaje de compresión para el tratamiento del linfedema)*, Klose dice que "el ablandamiento y la rotura de este tejido fibrótico se obtiene mediante la inclusión de materiales de acolchado de gomaespuma (por ejemplo, **Komprex®**) dentro de un vendaje moderadamente apretado. De este modo se consigue un aumento localizado de la presión en esta zona. La actividad muscular actúa además sobre estas áreas fibróticas, aflojando y rompiendo los depósitos acumulados de cicatriz y tejido conectivo" (2010). Sí, deberías ejercitarte con tus sábanas de espuma. El movimiento fomentará el aflojamiento y la ruptura de la fibrosis que Klose menciona.

Algunos cirujanos le dan a sus pacientes espuma quirúrgica, y a veces se adhiere al cuerpo durante los primeros días después de la cirugía. Estas piezas de espuma no deben estar completamente empapadas de agua. Para secar este tipo de espuma, seque primero con una toalla y luego con un secador de pelo en un lugar con aire fresco.

También uso trozos de espuma, formas u hojas de

espuma de canal o de lunares colocadas debajo de su prenda de compresión para romper la fibrosis amasando sutilmente las áreas endurecidas a medida que se mueve a lo largo del día. Las bolsas de papas fritas llevan el nombre "Schneider packs" en honor a su inventor, Bernd Schneider, terapeuta jefe de la Clínica Foeldi de Hinterzarten, Alemania. Si desea más hojas, se llaman **Medi® Lymphpads®**. Las formas de gomaespuma **Komprex®** se "utilizan para amplificar la compresión, suavizar la fibrosis, así como para proporcionar un relleno" (Komprex, s.f.).

El canal y las hojas de espuma de lunares que almaceno en mi oficina son lavables a máquina y fáciles de secar. Los ejercicios de movimiento articular que se realizan mientras se usan sábanas de espuma y su prenda de compresión funcionarán suavemente para romper la fibrosis con el tiempo. Algunos de mis clientes usarán su primera prenda de compresión ligeramente más grande al hacer ejercicio, ducharse y luego cambiarse a su prenda más pequeña. Asegúrese de que su piel haya absorbido completamente cualquier loción o aceite antes de usar estas hojas de espuma.

Ashforth creó el paquete de huesos de cereza, otra opción para romper el tejido fibrótico. Un estudio de Ashforth et al. titulado "A New Treatment for Soft Tissue Fibrosis in the Breast" (Un nuevo tratamiento para la fibrosis de tejidos blandos en el seno) publicado en el *Journal of Lymphoedema*, encontró que las mujeres con inflamación y tejido fibrótico que recibieron masaje de drenaje linfático y usaron un **JoViPiPitPak®** debajo de la prenda de compresión elástica durante dos horas al día durante tres semanas tenían una "disminución de la densidad de los tejidos" y un "aumento de la percepción de la sensación de cosmetismo" (apariencia estética) (2011). Los fardos de cereza también se pueden meter dentro de un dispositivo neumático de masaje de compresión para reducir la fibrosis e imitar el efecto de masaje del ejercicio con compresión.

Pitpaks® puede parecer pequeño, pero es una forma muy agresiva de tratamiento. Por favor, úselas con precaución. Ashforth recomienda que los clientes comiencen por usarlos durante 30 minutos y aumentar el tiempo, monitoreando la tolerancia de la piel. No deben usarse en pieles frágiles o en áreas con poca sensibilidad. Conozca más sobre **JoViPitPaks®** aquí: https://youtu.be/kknHwhEGuLg.

Durante su sesión de masaje

Las primeras visitas después de una cirugía de liposucción se centran en reducir la inflamación. Cuando empiece a sentir fibrosis, bultos o protuberancias que se forman debajo de la piel (generalmente unos meses después de la cirugía), utilizaré uno o más métodos para ayudar a romperla y ayudarlo a obtener los resultados que usted desea de su liposucción. Aquí están algunos de los trucos bajo mi manga:

Técnicas de masaje más profundo

Muchos clientes mencionan que su torso se siente atascado y pegado a primera hora de la mañana. Estirar su torso se siente como tirar de un caramelo. Comienzo con técnicas profundas, prácticas y dirigidas que incluyen trabajo con alfileres y estiramientos y cicatrices miofasciales para romper sus bultos y protuberancias, aumentar su rango de movimiento y darle una sensación de mayor apertura. Añadir piedras calientes al masaje calienta los tejidos y me permite trabajar más profundamente sin que el cliente sienta dolor. La clave del masaje de fibrosis es una compresión sostenida del tejido con el tiempo. El terapeuta puede utilizar un par de guantes médicos o un trozo de **Dycem**®, un polímero especial con propiedades de agarre muy altas, para aumentar la eficacia del masaje.

Movilización de tejidos blandos: IASTM o ASTYM

La movilización de tejidos blandos asistida por instrumentos se utiliza para tratar las restricciones de la fascia y la fibrosis de tejidos blandos. Un artículo titulado "Instrument Assisted Soft Tissue Mobilisation (IASTM)" (Movilización de tejidos blandos asistida por instrumentos) por el Ohio Valley Medical Center dice que "el microtrauma inicia la reabsorción de fibrosis inapropiada o tejido cicatricial excesivo y facilita una cascada de actividades de curación que resultan en la remodelación de las estructuras de tejidos blandos afectadas. Las adherencias dentro del tejido blando que pueden haberse desarrollado como resultado de una cirugía, inmovilización, esfuerzo repetido u otros mecanismos, se descomponen permitiendo que se produzca una restauración funcional completa" (2019). La IASTM no debe doler ni dejar moretones.

En el artículo "Terapia **Astym**®: una revisión sistemática", publicado en los *Annals of Translational Medicine*, Chughtai et al. dicen que Astym® "fue desarrollado para tratar las disfunciones de los tejidos blandos estimulando la regeneración de los tejidos blandos y la reabsorción de tejido cicatricial/fibrosis inadecuada". ¿Cómo funciona el sistema? La técnica anima al cuerpo a utilizar "mediadores celulares y factores de crecimiento para ayudar a activar la resorción del tejido cicatricial, estimular la renovación del tejido y regenerar los tejidos blandos" (2019).

Es importante NO tomar un medicamento NSAID si realizamos un trabajo de movilización de tejido blando más profundo en su sesión de masaje. Permitir que la inflamación ocurra es una parte esencial del proceso de curación. Menciono más acerca de los medicamentos NSAID en el capítulo de Sanación de Heridas.

Ventosas de masaje linfático (Descompresión miofascial)

El masaje con ventosas es un tipo de descompresión miofascial. Hay varios tipos diferentes de ventosas, y yo uso específicamente un tipo que es más suave y más dinámico que las ventosas tradicionales. ¡No hay dolor, ni moretones, ni círculos rojos después de esta ventosa linfática! El masaje con ventosas utiliza la succión para crear presión negativa en los tejidos del cuerpo. El masaje con ventosas después de la cirugía debe realizarse con conciencia del sistema linfático, ya que los fluidos que se encuentran cerca de la superficie de la piel son eliminados del cuerpo por el sistema linfático.

Una marca es **LymphaTouch®**. En el artículo "La terapia de presión negativa en el tratamiento de la linfedema", publicado en el *Journal of Lymphoedema*, Gott et al. dicen que los dispositivos de terapia de masaje de presión negativa como el **LymphaTouch®** pueden ser "dirigidos directamente sobre cicatrices, áreas de fibrosis inducida por radiación, fibrosis del linfedema" (2018).

En mi oficina, utilizo una máquina de ventosas que proporciona un nivel de succión constante o pulsante. Las copas de silicona se pueden usar en casa si se desea un tratamiento manual. El aceite se aplica a la piel (uso aceite de jojoba o de árnica) y las tazas se utilizan al nivel más suave de presión. Yo trato manualmente los ganglios linfáticos en el cuello, abdomen y áreas inguinales (también los ganglios linfáticos axilares si la parte superior del cuerpo está siendo tratada) usando técnicas de drenaje linfático manual, así que los ganglios linfáticos están preparados para aceptar y filtrar la inflamación. Me encanta usar ventosas de masaje linfáticas en mis clientes y he descubierto que son lo suficientemente suaves para ayudar incluso a aquellos mayores de 70 años de edad que se han sometido a una liposucción.

Cómo prepararse para una sesión de masaje para la fibrosis

Utilizo técnicas de calor o de enfriamiento para ayudar a mis clientes a sacar el máximo provecho de una sesión de masaje de fibrosis.

Si opto por el calor, ¡me volveré hacia mis piedras calientes! La mayoría de los clientes encuentran que añadir piedras calientes a su sesión los hace mucho más relajados. Encuentro que me permiten hacer un trabajo más profundo sin causar incomodidad a mis clientes.

El enfriamiento también es una opción. En un estudio titulado "Local Skin Cooling as an Aid to the Management of Patients with Breast Cancer Related Lymphedema and Fibrosis of the Arm or Breast" (Enfriamiento local de la piel como ayuda para el tratamiento de pacientes con linfedema relacionado con el cáncer de mama y fibrosis del brazo o de la mama), publicado en la revista *Lymphology*, Mayrovitz, Harvey & Yzer, se encontró que el uso de dos a cuatro toallitas refrescantes enfriadas en un baño de agua helada se aplicó para enfriar el tejido fibroso de doce a quince minutos antes de que se realizara una sesión de drenaje linfático manual que ayudara a la fibrosis. El estudio encontró que después del tratamiento con paños refrigerantes, "el alargamiento miofascial, la liberación de tejido cicatricial y otros aspectos del tratamiento son más fáciles de realizar, lo que reduce el tiempo y el esfuerzo del tratamiento, a la vez que mejora la movilidad funcional" (2017).

Otras modalidades de fibrosis

Un pequeño estudio publicado en los *Annals of Rehabilitation Medicine* titulado "Clinical Outcomes of Extracorporeal Shock Wave Therapy in Patients With Secondary Lymphedema: Un Estudio Piloto," por Bae & Kim encontró que la Terapia de Ondas de Choque Extracorpóreas (ESWT) tuvo un efecto sobre la fibrosis en pacientes con linfedema (Bae & Kim, 2013). Según el artículo "Cellulite and Focused Extracorporeal Shockwave Therapy for Non-invasive Body Contouring: a Randomized Trial" (Celulitis y terapia extracorpórea focalizada para el contorno corporal no invasivo: un ensayo aleatorio), publicado en *Dermatología y Terapia*, la ESWT también puede reducir la celulitis, incluidos los hoyuelos en el área de los glúteos (Knobloch et al, 2013). ¿Cómo funciona el sistema? La ESWT utiliza la misma tecnología que se utiliza para romper los cálculos renales.

En el artículo "Papel de **HIVAMAT** ® 200 (oscilación profunda) en el tratamiento del linfedema de las extremidades", publicado en el *European Journal of Lymphology and Related Problems*, Gasbarro et al. encontraron que el masaje asistido por oscilación profunda ayudó a reducir la fibrosis. El producto Hivamat utiliza campos electrostáticos intermitentes con oscilación profunda y también se ha descubierto que reduce el edema (Gasbarro, 2006).

Ayúdate a ti mismo en casa

Una vez que su cirujano lo autorice para hacer ejercicio vigoroso, considere la posibilidad de usar técnicas caseras para reducir el tejido cicatricial y la fibrosis.

Las herramientas de auto-masaje como la bola **Coregeous®**, una bola de esponja llena de aire, pueden ayudar. Según Jill Miller, inventora de la bola **Coregeous®**, "el agarre de las bolas maximiza su capacidad de crear cizallamiento, y su densidad flexible les permite conformarse sin lesionar los tejidos de las prominencias óseas nudosas". El libro de Miller *The Roll Model* proporciona una secuencia paso a paso para el pin/spin y mobilize y otras técnicas de corte para el torso en las páginas 170-184 y las rutinas que se pueden usar en los brazos y las piernas se presentan más adelante en el libro. También le insto a que lea la historia de una mujer que usa la pelota para reducir el malestar crónico del tejido cicatricial después de dos cesáreas y una operación de hígado (donó parte de su hígado a un colega que necesitaba un trasplante) (2014).

Para tener una idea de cómo es el tratamiento, vea estos videos:

"Cómo deshacerse del tejido de la cicatriz abdominal con Jill Miller": https://youtu.be/Px7AqK2bBsg

Técnicas para los flancos: https://youtu.be/BxrWy23m_48

Inner thigh fibrosis in "Therapy balls for knees: adductors": https://youtu.be/gXAU7QRUyUE

Otra opción en el hogar es usar un bloque para cambiar el tejido cicatricial. La terapeuta atlética certificada Deanna Hansen es la creadora de Block Therapy. Se sometió a una reducción mamaria a los veinte años y descubrió que "con el paso de los años, el tejido cicatrizal comenzó a adherirse a mi caja torácica". Según el sitio web de la Block Therapy, la práctica consiste en acostarse "sobre una herramienta terapéutica llamada Block Buddy durante un mínimo de tres minutos en diferentes posiciones en todo el cuerpo". (n.d.)

También considere trabajar con la fibrosis usando el ejercicio, probando una práctica de yoga lenta y elongada. La clave es mantener las posturas durante varias respiraciones. Un ejemplo, enseñado por la instructora de yoga y autora Candace Moore, está en https://youtu.be/SAcU0E6mOQw.

¿Qué pasa con toda esa"tarea"?

Vasos de silicona, ejercicios, tablas abdominales, piezas de espuma, auto-masaje, pelotas y bloques. ¿Por qué le doy a mis clientes tanta"tarea" después de la cirugía para reducir la inflamación y la fibrosis? Permítanme explicarlo usando NEAT, un concepto que aprendí por primera vez del fisiólogo del ejercicio Fabio Comana cuando estudiaba para mi Certificado en Instrucción de Fitness/Ciencia de Ejercicio en UCSD Extension.

Según el Dr. James Levine, de la Unidad de Investigación

Endocrina de la Clínica Mayo, la termogénesis sin actividad física (NEAT, por sus siglas en inglés) es "la energía gastada en todo lo que hacemos que no es dormir, comer o hacer ejercicio de tipo deportivo" (2004). Los efectos positivos de todas las actividades de baja intensidad sin ejercicio que realizamos todos los días pueden realmente sumar y tener un efecto mayor que el de simplemente depender de tres o cuatro sesiones formales de ejercicio.

Es lo mismo con la curación de la cirugía plástica: las pequeñas cosas que hacemos todo el día se acumulan. Creo que es tan importante para mis clientes participar activamente en su propia curación como asistir a sus citas de drenaje linfático manual.

"El estilo es saber quién eres, qué quieres decir, y no te importa un bledo." — Gore Vidal

CAPÍTULO 6
CURACIÓN DE HERIDAS

¡El Picor!

Es completamente normal sentir comezón. ¿Cómo podemos tratar la comezón después de la cirugía? En el artículo, "Postburn Itch: A Review of the Literature", publicado en Wounds: un compendio de investigación y práctica clínica, Nedelec & Lasalle afirman que "los factores ambientales y físicos que aumentan la picazón son la sequedad, los ambientes calientes o el agua caliente, el esfuerzo físico, la sudoración y la fatiga". Mencionaron varios tipos de intervenciones no farmacológicas, incluyendo "humectantes, refrescantes, TENS, masaje, prendas de presión, láser de bajo nivel" (Nedelec & Lasalle, 2018). TENS es la abreviatura de Transcutaneous Electrical Nerve Stimulation (Estimulación eléctrica transcutánea del nervio). Las prendas pueden hacer que la piel se seque más de lo normal, así que asegúrese de hidratarse regularmente.

Un remedio natural para la picazón es la avena. En el artículo "La avena en la dermatología: Una breve reseña", publicada en el Indian Journal of Dermatology, Venereology and Leprology, Pazyar et al. afirman que "la avena se ha utilizado durante siglos para disminuir la picazón en una variedad de dermatosis xeróticas" porque "posee diferentes tipos de fenoles que ejercen una actividad antioxidante y antiinflamatoria" (Pazyar et al., 2012). Una manera fácil de aprovechar los beneficios de la avena es usar un jabón, un jabón para el cuerpo o una loción que contenga avena coloidal.

Cómo curar más rápido

A diferencia de una caída en el patio de recreo, la curación después de la cirugía plástica requiere más que un beso y un vendaje. Hay algunos consejos sencillos que puede seguir que le permitirán a su cuerpo sanarse a sí mismo más rápido.

Mis primeros tres consejos para la cicatrización de heridas se centran en mantener el calor, beber agua y controlar los niveles de dolor. En el artículo "Previniendo y controlando la dehiscencia de heridas quirúrgicas", publicado en Advances in Skin and Wound Care, Doughty dice que "la cicatrización de heridas requiere oxígeno y nutrientes, y que la entrega de estos ingredientes clave al sitio de la herida depende de una perfusión adecuada, el control del edema, la ingesta adecuada de nutrientes y la oxigenación normal". Doughty recomienda que "durante el período postoperatorio temprano, las estrategias de curación incluyen: mantener el volumen sanguíneo a través de una adecuada reposición de líquidos, mantener el calor (para prevenir la vasoconstricción), controlar agresivamente el dolor (para prevenir la vasoconstricción)" (2005).

No Fumar

Es extremadamente importante NO fumar antes y después de la cirugía. Según Sasada y Guest, "fumar está asociado con una incidencia de al menos diez veces mayor de infección de la herida y necrosis de la piel" (2016). Anderson y Hamm explican por qué, afirmando que "el tabaco ralentiza la producción de colágeno, debilita el tejido cicatricial y deja tejidos cicatrizados más susceptibles al riesgo de lesiones recurrentes. Estos efectos pueden alterar todas las fases de la cicatrización de las heridas, lo que resulta en un cierre ineficaz y más lento de las heridas" (2014). Y sí, esos nuevos y populares e-cigarrillos también son perjudiciales para la cicatrización de heridas (Smith, 2017).

Quit and Stay Quit Monday es un programa gratuito en línea que puede ayudarle a dejar de fumar. Visite el sitio web en https://www.iquitmonday.org.

No te emborraches

También es importante no beber alcohol en exceso mientras se está recuperando de la cirugía. Un estudio en ratones realizado en el Burn and Shock Trauma Institute, Loyola University Medical Center, encontró que "una sola exposición al etanol equivalente a una intoxicación moderada (100 mg/dl) puede perjudicar dramáticamente la fase proliferativa de la cicatrización de heridas dérmicas" (Radek et al., 2005). McNemar et al. recomiendan que sus pacientes "no beban alcohol durante unos diez días porque puede dilatar los vasos sanguíneos y aumentar el sangrado postoperatorio" (2006).

Coma Saludable

Este consejo es especialmente importante si tiene una pérdida de peso temporal o una cirugía de bypass gástrico. Olesen & Olesen dicen que "después de la cirugía de bypass gástrico (e incluso después de perder peso a causa de una dieta), los niveles de calcio, vitamina B12 y hierro tienden a ser bajos. A la mayoría de los pacientes se les aconseja tomar multivitaminas, B12, calcio y hierro durante un año o más después de la finalización de su cirugía" (2005).

¡La vitamina C también es importante! En el artículo "Vitamin C and Immune Function", publicado en *Nutrients*, Carr & Maggini dice: "La deficiencia de vitamina C es la cuarta deficiencia de nutrientes más importante en los Estados Unidos". ¿Por qué es especialmente importante tomar vitamina C después de la cirugía? Porque "la deficiencia de vitamina C da lugar a una alteración de la inmunidad y a una mayor susceptibilidad a las infecciones. A su vez, las infecciones tienen un impacto significativo en los niveles de vitamina C debido al aumento de la inflamación y el requerimiento metabólico". (2017). Pregúntele a su médico cuándo está bien comenzar a consumir vitamina C después de la cirugía.

En el artículo "Apoyo nutricional para la cicatrización de heridas", MacKay y Miller (2003) dicen que "las deficiencias nutricionales pueden impedir la cicatrización de heridas, y varios factores nutricionales necesarios para la reparación de heridas pueden mejorar el tiempo de cicatrización y el resultado de las heridas" y comparten información sobre cómo la nutrición puede ayudar a sanar el cuerpo de forma natural, por lo que recomiendo encarecidamente que lean este artículo. Encuéntrelo en línea en http://archive.foundationalmedicinereview.com/component/docman/doc_download/286-review-article-nutritional-support-for-wound-healing?Itemid=485 (debe estar registrado en foundationalmedicinereview.com para descargarlo).

Tenga cuidado con los suplementos

¿Debería tomar suplementos para la curación? Los anuncios en los medios sociales y los sitios web de medicina alternativa pueden convencernos de que nunca estaremos realmente sanos a menos que nos traguemos un puñado de pastillas todos los días. El consejo de su cirujano puede ser diferente. Engler recomienda que "en general, por un período de tres semanas antes y después de la cirugía, todos los medicamentos y preparados no esenciales deben ser descontinuados"

(2000). Sasada y Guest comparten que "aconsejamos a nuestros pacientes que dejen de tomar todas las hierbas medicinales, vitaminas y suplementos alimenticios dos semanas antes de la cirugía y que se reanuden dos semanas después de la cirugía" (2016).

Shiffman recomienda que los pacientes de liposucción "no tomen vitaminas, especialmente vitaminas C y E durante 2 semanas antes de la cirugía Y durante 1 semana después de la cirugía. Suspenda todas las hormonas (consulte con su médico primero) 3 semanas antes de la cirugía y durante 2 semanas después de la cirugía. Trate de no programar la cirugía en un día cercano a su período menstrual. Es preferible no operar los primeros 5 días de sangrado menstrual" (2006, 97).

No trate en exceso su dolor

Tenga cuidado al tomar NSAID. Anderson y Hamm dicen que "se ha demostrado que los antiinflamatorios no esteroideos (AINE) tienen un efecto depresivo en la cicatrización de heridas, al mismo tiempo que disminuyen la reacción inflamatoria granulocítica". Los AINEs inhiben la producción de PGE2, una prostaglandina mediadora inflamatoria, y por lo tanto pueden reducir el dolor. La supresión de la PGE2 también se produce con una cicatrización excesiva de la herida y, por lo tanto, los AINEs pueden aumentar la formación de cicatrices, especialmente si se utilizan durante la fase proliferativa de curación. Los AINEs tienen un efecto antiproliferativo sobre los vasos sanguíneos y la piel, retrasando así la tasa de curación" (2014). Fu et al. comparten que "la inflamación es crucial para la eliminación de tejido muerto y la prevención de la infección por neutrófilos y macrófagos a través de las acciones de la fagocitosis y la secreción de proteasas y citoquinas. Una cantidad moderada de inflamación es vital para el proceso de cicatrización de la herida para la transición de la fase inflamatoria a la fase proliferativa" (2019). El acetaminofeno es un analgésico no NSAID.

Trate su estrés

¿Qué sabes de tu cirujano plástico? Tómatelo con calma. Tómatelo con calma. Tómatelo con calma. Esto se debe a que reducir el estrés es importante para su curación. En su libro *108 Pearls to Awaken Your Healing Potential (108 perlas para despertar su potencial de curación)*, la Dra. Mimi Guarneri dice que "el estrés es el enemigo de nuestro sistema inmunológico. No sólo nos enfermamos más fácilmente bajo estrés, sino que nos cuesta más recuperarnos" (2017).

El sitio web de DeStress Monday comparte regularmente consejos y guías para ayudarle a comenzar cada semana con un estado de ánimo positivo. Visite el sitio web en https://www.destressmonday.org.

En el artículo "El impacto del estrés psicológico en la curación de heridas: Methods and Mechanisms' publicado en Critical Care Nursing Clinics of North America, Gouin et al. dicen que "la angustia psicológica parece influir en la recuperación de los procedimientos médicos y la curación de heridas crónicas en entornos clínicos". Para reducir el estrés, trate de llevar un diario, hacer ejercicio aeróbico (con el permiso de su cirujano) y disfrutar de interacciones positivas con amigos y seres queridos (2012).

Hablando de interacciones positivas, ¡su cónyuge puede ayudar con la cicatrización de heridas! Según un artículo titulado "Hostile Marital Interactions, Proinflammatory Cytokine Production, and Wound Healing" (Interacciones maritales hostiles, producción de citoquinas proinflamatorias y curación de heridas) publicado en los Archivos de Psiquiatría General, los pacientes que discutieron un desacuerdo marital durante treinta minutos con su cónyuge experimentaron una cicatrización más lenta de la herida (Kiecolt-Glaser et al., 2005). ¡Mantenga interacciones positivas!

Proteja sus incisiones

Si le preocupa ejercer presión sobre los senos o el abdomen después de un aumento mamario o una cirugía estética de abdomen, existen fundas acolchadas para los cinturones de seguridad disponibles para reducir la presión causada por un cinturón de seguridad.

Proteja cualquier grasa transferida

No realizo masaje manual de drenaje linfático ni ningún tipo de masaje sobre o cerca de áreas con transferencia de grasa durante al menos unas semanas después de la cirugía.

No hay investigaciones que respalden esto, pero muchos médicos y pacientes recomiendan enfáticamente el uso de una almohada de descarga, a menudo llamada almohada BBL, para aliviar la presión de su trasero mientras está sentado después de un injerto de grasa para el aumento de glúteos (a menudo llamado Levantamiento de Glúteos Brasileño, o cirugía BBL). Hay algunas almohadas diferentes en el mercado, así que encuentre la que sea adecuada para usted. La postura adecuada y la capacidad de sentarse cómodamente durante períodos de tiempo más largos son dos consideraciones importantes.

Si se ha realizado una transferencia de grasa a la parte externa del muslo o al área de los glúteos, elija una prenda de compresión que no comprima el área. Una opción para después de la BBL y la transferencia de grasa a los muslos es la Faja Tradicional de St. Azar de Curvy Gyals.

Complicaciones

Quemadura Faja

Quemadura Faja es un término que las personas que se

han sometido a una cirugía utilizan para describir una amplia variedad de rupturas de tejidos después de la cirugía, desde abrasiones hasta casos más graves de escara (ver "¿Cuándo no es una costra?" más adelante) o necrosis. Las abrasiones de la piel pueden ser una señal de que su prenda de compresión está demasiado apretada o no le queda bien. Las prendas de compresión deben sentirse cómodas, pero no incómodas. He visto una faja de tipo abrasivo quemarse en un cliente poco después de que éste se convirtió en una prenda de compresión demasiado apretada unos meses después de la cirugía.

A veces una prenda de compresión mal ajustada puede hacer más daño que bien. ¿Qué puede hacer si experimenta una abrasión de la piel por fricción o compresión excesiva causada por la prenda? Usar una prenda de compresión que se ajuste adecuadamente y cubrir el área desgastada con un pedazo de venda acolchada de vellón Sigvaris BiaSoft puede resolver el problema. Contacte a su cirujano si empeora o no comienza a sanar.

El uso de la prenda puede resecar la piel, así que manténgase bien hidratado.

Las quemaduras Faja también pueden ocurrir si los pliegues de la piel se juntan en una prenda de compresión, especialmente si no hay camiseta sin mangas o espuma entre la piel y la prenda de compresión.
Consulte con su cirujano si su prenda de compresión está irritando su piel.

¿Cuándo una costra no es una costra?

Según Heather Flexer, DPT, CWS y propietaria y consultora de Better Wounds, "una costra es una colección de sangre seca o drenaje. Típicamente, de color pardusco y limitado a la línea de incisión, sutura o agujeros de grapas. Las costras se quitarán fácilmente después de una ducha y tendrán una piel nueva de color rosa pálido debajo. Escara es completamente diferente. La escara es un tejido muerto desvitalizado que resulta de la falta de oxígeno o del flujo sanguíneo. Es típicamente negra, gruesa y puede haber pus a lo largo de los bordes. Tratar de remover la escara revelará una herida más profunda, sin embargo, dejarla presente puede causar más daño. El tejido muerto requiere desbridamiento y usted debe contactar a su cirujano. Tenga en cuenta que algunos cirujanos le recomendarán que continúe cubriendo su herida con gasa a pesar de la investigación para apoyar el uso de productos más avanzados (Wodash, 2013). Por ejemplo, los productos a base de miel (Schell et al., 2019) o los desbridadores enzimáticos como la colagenasa son más activos en el desbrido selectivo de tejidos desvitalizados y resultan en cambios de apósito menos dolorosos. Si experimenta un aumento repentino del dolor, el drenaje, el olor de la zona o una sensación general de malestar, debe acudir al servicio de urgencias ya que puede tener una infección" (H. Flexer, comunicación personal, 2019).

Necrosis de la piel

Necrosis significa la muerte de una célula; en este caso, las células de la piel. Generalmente ocurre como resultado de un suministro limitado de oxígeno y sangre. En el artículo "Tratamiento de las complicaciones de la abdominoplastia: A Literature Review" publicado en *Archives of Plastic Surgery*, Vidal et al. dio consejos sobre cómo tratar la necrosis, que puede manifestarse con "signos de irrigación insuficiente, como retraso del llenado capilar y disminución de la temperatura local". El proceso de curación puede durar de semanas a meses y el tratamiento incluye el desbridamiento y el apósito de la herida, así como el apoyo emocional (2017). Dixit & Wagh recomiendan un tratamiento que incluye "desbridamiento quirúrgico, antibióticos y oxigenoterapia hiperbárica". Recuerde que los fumadores crónicos que no han dejado de fumar tienen un alto riesgo de necrosis cutánea (2013). Si sospecha de una infección, llame a su cirujano para que le aconseje.

Infecciones

Los signos de infección incluyen: fiebre, cansancio o debilidad, secreción o mal olor proveniente de la herida, o una herida dolorosa, dolorosa, caliente o enrojecida.

La celulitis es una infección bacteriana grave. Los signos de celulitis son: enrojecimiento que se extiende sobre un área, piel caliente, dolor e hinchazón incrementada.

También puede sentirse cansado y débil, como si estuviera contrayendo la gripe. Es importante que busque atención médica si sospecha que tiene celulitis.

¿De dónde vienen las infecciones? Vidal et al. encontraron que "la flora bacteriana de la piel representa la mayoría de las infecciones después de las abdominoplastias, especialmente *Staphylococcus epidermidis, Streptococcus pyogenes*, y S. aureus, que requieren terapia antibiótica de segunda línea cuando estas especies presentan resistencia a la meticilina" (2017).

Si sospecha de una infección, llame a su cirujano para que le aconseje.

Seromas

Los seromas son una posible complicación de la cirugía. Según Engler, "se puede formar un seroma si el líquido se drena inadecuadamente y/o continúa acumulándose después de que se retiran los drenajes. Cuando los seromas ocurren, se tratan inicialmente con aspiración (utilizando una aguja fina para extraer el líquido), reinserción de uno o más drenajes o una combinación. Cuando se identifica y trata a tiempo, esta complicación suele ser transitoria y sólo produce una perturbación mínima" (2000).

Los drenajes pueden ayudar a reducir la formación de seromas. Según un artículo de Janis et al. titulado

"Strategies for postoperative seroma prevention: a systematic review" (Estrategias para la prevención del seroma postoperatorio: una revisión sistemática) y publicado en *Plastic and Reconstructive Surgery (Cirugía plástica y reconstructiva)*, "las estrategias efectivas para la prevención del seroma incluyen el uso de drenajes de succión cerrada; el mantenimiento de los drenajes hasta que su volumen de salida sea mínimo;[y] el mantenimiento de un gradiente de alta presión en el drenaje" (2016).

Dígale a su cirujano acerca de cualquier seroma tan pronto como sea posible.

Tratamientos

Terapia con láser de baja intensidad / LED rojo / Fotobiomodulación

La primera vez que experimenté la terapia con láser de bajo nivel fue en el consultorio de mi esteticista. La"luz roja" fue usada después de mi facial. ¿Puede un láser realmente marcar la diferencia? En el artículo "Mecanismos y aplicaciones de los efectos antiinflamatorios de la fotobiomodulación" publicado en *AIMS Biophysics*, Hamblin dice que "la terapia con láser de bajo nivel es el uso de luz roja e infrarroja cercana para estimular la curación, aliviar el dolor y reducir la inflamación" y ofrece una buena visión general de por qué esta tecnología funciona en https://www.ncbi.nlm.nih.gov/pmc/articles/PMC5523874 (2017). Esta terapia no es sólo para la belleza. BreastCancer.org dice que "la terapia con láser de bajo nivel ha sido aprobada por la Administración de Alimentos y Medicamentos de los Estados Unidos para el tratamiento del linfedema" y "el pensamiento es que la luz láser aumenta el flujo de la linfa, reduce la cantidad de exceso de proteínas y tejido en el líquido, y reduce la capacidad del tejido cicatrizal para que se "pegue" al tejido sano subyacente" (Laser Therapy for Lymphedema, 2012).

¿Puede ayudar después de la cirugía? En el artículo "Fototerapia con diodos emisores de luz: Tratando una amplia gama de condiciones médicas y estéticas en dermatología", publicado en el *Journal of Clinical and Aesthetic Dermatology*, Ablon dice que los diodos emisores de láser (LED) "en contraste con los dispositivos de estiramiento cutáneo de base térmica, como la radiofrecuencia y el ultrasonido focalizado, los LED no producen lesiones térmicas". Ablon comparte un estudio en el que sujetos masculinos y femeninos "se sometieron a una blefaroplastia combinada y a un rejuvenecimiento ablativo con láser Er:YAG/CO2". Posteriormente, la mitad de la cara de cada sujeto fue seleccionada al azar y tratada con un LED rojo de 633nm (96J/cm2) durante 20 minutos inmediatamente después de la cirugía, 48 horas después de la cirugía y dos veces más la semana siguiente. Se evaluó la resolución del eritema, el edema, los moretones y los días de curación.... El lado tratado con LED se curó después de una media (DE) de 13,5... días frente a 26,8 días para el lado no tratado" (2018).

Ablon advierte que "aunque los dispositivos de uso doméstico han estado disponibles durante varios años, existen muchas diferencias entre estos dispositivos y los diseñados específicamente para su uso por los médicos. Los dispositivos de uso doméstico necesariamente entregan significativamente menos energía y típicamente no tienen paneles de luz lo suficientemente grandes como para tratar toda la cara a la vez" pero dice"en algunos casos, las unidades domésticas pueden ser usadas conjuntamente con el tratamiento proporcionado por dermatólogos para tratar áreas específicas de preocupación" (2018). Si decide comprar un dispositivo para uso doméstico, investigue. Algunos dispositivos se anuncian como aprobados por la FDA, pero sólo están aprobados por la FDA para su uso como lámpara de calor.

Terapia de oxígeno hiperbárico (TOHB)

Recibir terapia de oxígeno hiperbárico (TOHB) puede ayudar a acelerar la cicatrización de la herida después de la cirugía. Vidal et al. dicen que "la oxigenación hiperbárica no sólo aumenta la disponibilidad de oxígeno en diferentes territorios al aumentar la presión parcial de O2, sino que también estimula la neovascularización, la producción de colágeno, la proliferación de fibroblastos y la movilización de células madre desde la médula ósea hasta el sitio lesionado" (2017).

Miel de Manuka

Sood et al. revisaron estudios que probaron la efectividad de la Miel de Manuka debido a su papel como "un antiguo remedio para el tratamiento de heridas infectadas... reconocido por primera vez como un agente antibacteriano tópico en 1892". Encontraron que "en estudios de laboratorio, se ha demostrado que la miel de Manuka proporciona una acción antibacteriana contra un amplio espectro de bacterias y hongos", y que "los apósitos de miel hacen que las heridas sean estériles en menos tiempo, mejoran la cicatrización y tienen un mejor resultado en términos de cicatrices hipertróficas y contracturas postburnas" (2014). Asegúrese de preguntarle a su cirujano plástico antes de intentar este tratamiento.

Algunos consejos para el cuidado de sus desagües

Muchos cirujanos utilizan drenajes para ayudar a reducir la inflamación después de la cirugía. Uno de mis clientes favoritos apodado"la granada".

El Centro Médico Wexner de la Universidad Estatal de Ohio comparte una forma de limpiar la piel alrededor del tubo de drenaje de la herida. Le recomiendan que "empiece por el centro por donde sale el tubo de la piel. Use un movimiento circular para limpiar la piel alrededor del tubo. Muévase lentamente hacia afuera y aléjese del tubo de 3 a 4 pulgadas. No limpie la espalda hacia el tubo" (Home Care for Your Wound Drain, n.d.).

¿Cómo puede saber si su área de drenaje podría estar infectada? Llame a su médico si usted tiene enrojecimiento mayor que el tamaño de una moneda de diez centavos, hinchazón, calor o pus alrededor del sitio de inserción de su drenaje. Su médico puede querer saber si también está ejecutando fiebre, así que tómate la temperatura si notas alguno de los Signos listados arriba. Después de retirar el drenaje, no sumerja esa parte del cuerpo en un baño o piscina hasta que la incisión esté completamente cerrada (Caring for Your Jackson-Pratt Drain, 2019).

Si la cantidad de secreción disminuye repentinamente, pregúntele a su médico si debe limpiar/limpiar/limpiar/lechar sus drenajes. El artículo "Caring for Your Jackson-Pratt Drain" (Cuidando de su drenaje de Jackson-Pratt) tiene una guía paso a paso de cómo ordeñar sus drenajes en https://www.mskcc.org/cancer-care/patient-education/caring-your-jackson-pratt-drain.

¿Cómo puede asegurarse de que sus drenajes sean seguros mientras se recupera? He visto a clientes con drenajes de alfileres de seguridad en su prenda de compresión o usarlos en el bolsillo de una camiseta. También he visto albornoces con bolsillos de desagüe. Mi forma favorita de manejar los desagües es usar una bolsa de drenaje con forma de delantal. Parece el delantal de un empleado de un restaurante y tiene bolsillos grandes y una corbata larga en la espalda. El delantal le permite mover los desagües como una sola unidad sin tener que andar a tientas. Si está pensando en comprar algo elegante para sostener sus desagües, recuerde que estará adentro y relajado la mayor parte del tiempo usando los desagües. ¡Guarde su dinero para comprar ropa nueva en su lugar!

Si sus drenajes están perdiendo líquido en el punto donde entran al cuerpo, pruebe el apósito para heridas **Cutimed® Sorbion®** Sachet S Drainage. Presenta un diseño de ranura en el centro para que encaje alrededor del punto de salida de un tubo de drenaje.

Algunos consejos sobre los sitios de incisión para la liposucción abierta

¿Cuándo debe alarmarse por el drenaje de una incisión abierta? Shiffman dice que "el paciente o cuidador debe llamar al médico si hay sangrado rojo brillante a través de los apósitos, drenaje de pus, aumento del dolor u otros síntomas inusuales (falta de aliento, dolor abdominal, dolor en el pecho, confusión mental, etc.). Es de esperar un poco de drenaje rosado, no de color rojo brillante, y puede ser bastante profuso la primera noche" (2006, 99).

Una clienta que se sometió a una liposucción abierta las cubrió con gasa y un apósito de película transparente **3M® Tegaderm®** para mantener su ropa seca y limpia mientras estaba fuera de casa. También he visto a clientes pegar almohadillas menstruales o para la incontinencia en la parte posterior de sus tablas abdominales para atrapar el drenaje de líquido.

¿Debería usar gasa? Sood et al. dicen "Aunque la gasa ha demostrado ser útil en muchas situaciones, los médicos y el personal del hospital deben ser conscientes cuando el uso de este material *no es* óptimo. La gasa tejida requiere fuerza para ser removida, y puede potencialmente causar traumatismos en la herida y/o desbridamiento mecánico. Los residuos dejados por la gasa tejida pueden permitir que el cuerpo responda con la formación de granuloma" y "la gasa impregnada no absorbe los exudados y, por lo tanto, no desempeña un papel en las heridas con un drenaje abundante" (2014).

¿Qué es mejor que la gasa para absorber el líquido de una incisión abierta? Una opción es el **HK®** Super Absorbent Pad. Vea un video del Dr. Jeffrey Klein, el inventor de la anestesia local con lidocaína tumescente, describiendo la almohadilla en https://youtu.be/47VGEs4w90M. Otra opción es un apósito de almohadilla abdominal como la almohadilla estéril abdominal extra-absorbente sin látex de **Medline®** ABD. Vigile la salud de su piel cuando use un vendaje debajo de la compresión; para algunos, cuando el apósito se expande, ejerce una presión no deseada adicional sobre el cuerpo.

Algunos consejos para curarse del grabado abdominal

El uso de prendas de compresión es una parte especialmente importante de la recuperación después del grabado abdominal. En el artículo "Abdominal Etching: Surgical Technique and Outcomes", publicado en *Plastic and Reconstructive Surgery*, Husain et al. dicen que "el vendaje abdominal con TopiFoam se usa durante 2 a 3 días hasta que el drenaje inicial ha cesado. Después de ese punto, una prenda de compresión se usa en todo momento durante 2 semanas y a tiempo parcial (aproximadamente 12 horas/día) durante 2 semanas adicionales". ¿Cómo utilizan **TopiFoam®**? Explican que "las líneas grabadas se mantienen colocando compresión sobre las áreas grabadas. TopiFoam (Mentor-Aesthetics, Irvine, California) se corta a medida sobre las áreas grabadas en tiras delgadas de 1 cm de ancho para asegurar que la piel se adhiere a la pared abdominal. Las piezas más grandes de TopiFoam se colocan encima de las existentes para lograr una compresión más uniforme. Se utiliza un vendaje abdominal para asegurar la compresión de TopiFoam" (2019).

Es importante prevenir los seromas después de esta cirugía. Husain et al. comparten que "la prevención de la complicación del seroma es una cuestión técnica clave" y que "la prenda de compresión es extremadamente importante en el paciente con grabado abdominal, ya que incluso los seromas menores pueden tener una consecuencia desastrosa con respecto a los resultados deseados" (2019).

Algunos consejos para la curación de la liposucción para el linfedema y el lipoedema

La liposucción puede ser un tratamiento valioso para las personas con linfedema. La hinchazón del linfedema no es sólo líquido linfático extra, sino que también puede ser "tejido adiposo que se acumula y a veces fibrosis" (Boyages et al., 2015). En el artículo "Liposucción para linfedema avanzado: A Multidisciplinary Approach for Complete Reduction of Arm and Leg Swelling," publicado en *Annals of Surgical Oncology*, Boyages et al. también detalló los resultados de un estudio clínico prospectivo de 104 pacientes y encontró que la compresión es una parte crítica del cuidado postoperatorio para esta operación. La talla de su brazo o pierna será más pequeña, pero todavía debe usar prendas de compresión porque "la reducción continua se mantiene mediante el uso continuo de la prenda de compresión" (2015).

¿Cómo podemos saber cuándo la liposucción de tejido adiposo puede ser necesaria para un paciente con linfedema? En el artículo "Tratamiento con liposucción del linfedema" publicado en *Seminarios de Cirugía Plástica*, Schaverien, Munnoch & Brorson explican por qué se realiza la liposucción para el linfedema, diciendo que "el exceso de volumen sin picadura significa que el tejido adiposo es responsable de la inflamación. El tejido adiposo puede ser removido con liposucción. El tratamiento conservador y las reconstrucciones microquirúrgicas no pueden hacer esto" (2018).

Schaverien, Munnoch & Brorson también creen que el uso de la faja de compresión es de suma importancia en el éxito de esta cirugía. El artículo dice que "las prendas se renuevan 3 ó 4 veces durante el primer año. Dos juegos de.... prendas están siempre a disposición del paciente: una se lleva puesta y la otra se lava. Así, una prenda se usa permanentemente, y el tratamiento se interrumpe sólo brevemente al ducharse y, posiblemente, en ocasiones sociales formales". En resumen: Schaverien, Munnoch & Brorson creen que "es esencial que los pacientes cumplan con las prendas de compresión antes de la operación y que estén de acuerdo con el uso continuo de las prendas de compresión después de la cirugía; el incumplimiento llevará a un aumento del rebote en el edema de la picadura" (2018).

La liposucción para el lipoedema se centra en la eliminación del tejido adiposo enfermo. En el artículo "Dilated Blood and Lymphatic Microvessels, Angiogenesis, Increased Macrophages, and Adipocyte Hypertrophy in Lipedema Thigh Skin and Fat Tissue," publicado en *Journal of Obesity*, Al-Ghadban et al. encontró que "los adipocitos hipertróficos, el aumento del número de macrófagos y vasos sanguíneos, y la dilatación de los capilares en el tejido del muslo de mujeres no obesas con lipoedema sugieren inflamación, y la angiogénesis ocurre independientemente de la obesidad y demuestra un papel de la vasculatura alterada en la manifestación de la enfermedad" (2019).

El drenaje linfático manual y las prendas de compresión

son partes importantes del cuidado postoperatorio para la cirugía de liposucción para el lipoedema. El artículo "La liposucción en el tratamiento del lipoedema: A Longitudinal Study", publicado en los *Archives of Plastic Surgery*, resume los resultados de "veinticinco pacientes que se sometieron a 72 procedimientos de liposucción para el tratamiento del lipoedema". Dadras et al. compartieron que "las nuevas prendas se midieron 3 semanas después de la liposucción y después de que la hinchazón había disminuido, y se permitió el drenaje linfático manual después del segundo día postoperatorio" (2017). Otro estudio que se centró en pacientes mayores con lipoedema recomendó el drenaje linfático de forma "regular, a partir de las dos semanas de la liposucción", así como "prendas de compresión de punto no elásticas durante un período posquirúrgico de 6 meses". Los pacientes también se sometieron a una abdominoplastia parcial inferior y usaron "una faja de compresión durante unas 12 semanas" (Wollina et al., 2014).

En el libro de Shiffman & Di Giuseppe, Liposucción: *Principios y práctica*, dice Cornely, "el drenaje linfático manual prequirúrgico y posquirúrgico es indispensable. El drenaje linfático manual posquirúrgico tiene como resultado la curación rápida y la movilización de la solución de tumescencia restante fuera de las áreas operadas. Se recomienda el uso consistente de un apósito de compresión durante al menos 8 semanas. Si el apósito de compresión se usaba hasta 16 semanas, se podían obtener resultados claramente mejores en comparación con los resultados de los cortos períodos de uso habituales de sólo 4 semanas". (2006, 333).

Su médico conoce su situación individual y podrá darle información sobre las prendas de compresión que son adecuadas para usted.

Algunos consejos para la curación de la abdominoplastia / abdominoplastia

Sí, estar ligeramente inclinado hacia adelante es una parte natural de la recuperación de una cirugía estética de abdomen. Después de tres o cuatro semanas usted debe sentirse como si estuviera de pie más derecho. He tenido buenos resultados añadiendo unos minutos de masaje en la parte baja de la espalda a las sesiones de masaje de drenaje linfático de mis clientes de abdominoplastia.

Algo de movimiento es bueno para sanar de una cirugía estética de abdomen, pero más no es mejor. El Dr. Gayoso recomienda a sus clientes "bombear las piernas y caminar tantas veces como sea posible durante el día para evitar la formación de coágulos de sangre", pero "abstenerse de realizar actividades extenuantes durante un total de tres meses para preservar el efecto corsé interno de la operación" (Tummy Tuck: 8 Tips For A Successful Recovery, 2019).

Las tareas domésticas pueden interferir con el logro de resultados óptimos de una cirugía estética de abdomen.

ASAPS recomienda que los clientes que se están recuperando de una abdominoplastia "tengan mucha ayuda en casa..... Si usted tiene niños pequeños, debe poner a otra persona totalmente a cargo de su cuidado durante al menos dos semanas" (Tummy Tuck, 2018).

La abdominoplastia es diferente para los hombres! Vidal et al. dicen que "los pacientes varones tienden a presentar cicatrices menos agradables que las mujeres después de la abdominoplastia. La piel inguinal en los hombres es más delgada y pigmentada que el resto de la piel de la región abdominal. Las diferencias en el color de la piel entre ambos lados de la cicatriz, junto con una disparidad en el grosor de la piel, resultan en un resultado estético subóptimo" (2017).

Algunos consejos para curarse de un estiramiento facial

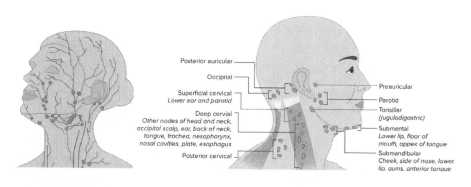

Sasada y Guest dicen que sus clientes les han dicho que "un peine de dientes anchos evitará que te enganches a las suturas mientras te peinas". El champú para bebés es mucho más cómodo de usar después de la operación, ya que no hace que las heridas piquen. Un cepillo de dientes del tamaño de un niño puede ser útil, ya que la apertura de la boca puede estar restringida durante unos días después de la cirugía" (2016). ASAPS recomienda que los clientes que se recuperan de un lifting facial (facelift) puedan descansar en un sillón reclinable, ya que "es mejor para elevar los pies, las rodillas y la cabeza". Si no tiene un sillón reclinable, asegúrese de tener muchas almohadas disponibles para apoyar la cabeza y las rodillas". Los clientes también deben seleccionar trajes postoperatorios con la parte superior que "se abren por delante y no tienen que ser tirados por encima de la cabeza" (Facelift, 2018).

Si todavía tiene hinchazón unos meses después de la cirugía y su cirujano le ha dado el visto bueno para hacer ejercicio, considere la posibilidad de hacer unos cuantos ejercicios para la cabeza y el cuello. Mover la cabeza y contraer los músculos faciales aleja los líquidos del área inflamada y reduce las adherencias. Los ejercicios para el cuello incluyen flexión lateral, rotación y extensión. Pruébelo usted mismo con este vídeo del equipo de linfedema del University College Hospital de Londres: https://youtu.be/8SxmntTVVLs.

Algunos consejos para la curación de la cirugía bilateral de párpados

Mi primer consejo para curar de la blefaroplastia es la paciencia. A menudo encuentro que después de una semana o dos, mis clientes se ven mucho mejor después de su estiramiento facial, pero todavía están angustiados por el enrojecimiento, los moretones y la hinchazón alrededor de sus ojos. Esto es completamente normal y se resolverá. Si está realmente preocupado, puede haber ayuda para los moretones después de la cirugía de párpados. En un artículo titulado "The Efficacy of Intense Pulsed Light Therapy in Postoperative Recovery from Eyelid Surgery" publicado en *Plastic and Reconstructive Surgery*, Linkov et al. encontraron que "en una serie de pacientes que se sometieron a cirugía de párpados, la terapia de luz pulsada intensa redujo el grado de equimosis" (2016). Si le resulta difícil cerrar completamente los ojos después de la cirugía, pregúntele a su médico si es seguro usar una máscara para dormir en la cama. Este consejo realmente ayudó a una de mis clientas y mejoró su sueño.

Algunos consejos para la curación después de la cirugía de feminización facial

En el libro *La mirada de una mujer: Facial Feminization Surgery and the Aims of Trans-Medicine*, Eric Plemons dice que la paciente "puede necesitar succionar saliva de su boca porque el paquete de garganta colocado durante la cirugía hará que sea incómodo tragar" y durante unos días después de la cirugía "puede que necesite estirar manualmente los músculos de la mandíbula" para evitar que se cierren con pinzas (2017).

Algunos consejos para la curación de la cirugía de doble mandíbula

Lauryn Evarts-Bosstick se sometió a una cirugía de doble mandíbula y comparte sus consejos de recuperación en el post "My Corrective Double Jaw Surgery Experience" en su blog *Skinny Confidential*. Ella jura por el drenaje linfático. Lea su artículo en https://www.theskinnyconfidential. com/corrective-double-jaw-surgery-experience.

Algunos consejos para curar después de la liposucción

El uso de una prenda de compresión hará que su piel esté más seca de lo normal. Foldi y Foldi afirman que "la piel que está adicionalmente cargada por la terapia de compresión debe mantenerse lisa y flexible y capaz de soportar esta carga". Hay algunas maneras diferentes en las que usted puede ayudar a mantener su piel hidratada mientras usa la compresión. Foldi & Foldi recomiendan usar limpiadores sin jabón como los "aceites de ducha" y aplicar crema hidratante después del baño (Foldi & Foldi,

2012 p. 558). Una piel sana, hidratada y bien hidratada es importante para todos, especialmente después de la cirugía. Elija una loción de pH bajo y recuerde que las lociones corporales perfumadas pueden secar la piel. Asegúrese de que su loción esté completamente absorbida antes de ponerse la prenda. Si le gusta la loción perfumada, considere la posibilidad de hacer la suya combinando una gota de su aceite esencial floral o frutal favorito en una palma llena de loción. Sólo por seguridad, utilice sólo una loción simple aprobada por su cirujano plástico cerca del área de la incisión.

¡La liposucción es diferente para los hombres! Engler dice que "la piel y el tejido subcutáneo tienden a ser particularmente gruesos y densos (en comparación con los de una mujer). Debido a esta diferencia en el grosor de la piel, un área de"exceso" puede no ser tan delgada postoperatoriamente como lo sería un área similar en una mujer" (2000).

Sotelo-Paz recomienda que sus clientes de liposucción abdominal se coloquen una bola de mármol o algodón en el ombligo "para que el ombligo no pierda su forma" (2016). He visto insertos de ombligo especialmente diseñados para la venta en sitios de medios sociales. Pregúntele a su médico antes de probar esto. Vigile la apariencia de su ombligo si está usando una prenda de compresión en su área abdominal. Algunas mujeres han encontrado que su ombligo se desvía hacia un lado como resultado de colocarse la prenda y tirar de ella hacia un lado para sujetar los ganchos de la prenda.

Asegúrese de informar a su médico que se ha sometido a una liposucción si está buscando tratamiento para fibromas uterinos o adenomiosis. Zhao et al. encontraron que "la liposucción puede aumentar el riesgo de quemaduras en la piel en mujeres con fibromas uterinos o adenomiosis que desean una terapia HIFU guiada por ultrasonido" (2014).

Algunos consejos sobre la curación de la cirugía después de la pérdida masiva de peso

Si se sometió a una cirugía después de una pérdida masiva de peso, tenga cuidado con las seromas. En el artículo "Liposucción asistida Abdominoplastia: Una técnica mejorada de abdominoplastia" publicada en *Plastic and Reconstructive Surgery*, Brauman et al. dicen que "la formación de seroma ocurre mucho más comúnmente en pacientes con pérdida masiva de peso" y comentan que "parece que la pérdida de peso resulta en la pérdida de grasa, pero el tejido de soporte, que contiene numerosos vasos sanguíneos, nervios y linfáticos agrandados, parece haber sido retenido. Esto podría explicar la preponderancia de la formación del seroma" (2018). El uso de drenajes ayudará a reducir la incidencia del seroma (Janis et al., 2016).

Algunos consejos para sanar después de una elevación de la cara interna del muslo

La hinchazón es un factor en las operaciones de lifting de muslos. Olesen & Olesen dicen que "el sistema linfático normalmente elimina el exceso de líquido de los tejidos. Rara vez, los conductos linfáticos permanecen bloqueados y causan hinchazón crónica, que es más probable que ocurra cuando se levantan la parte interna de los muslos". Esto se debe a que "el principal drenaje linfático de la pierna pasa por la ingle y corre el riesgo de lesionarse" (2005). En el artículo "Contorno Corporal por Abdominoplastia Combinada y Reducción Medial Vertical de Muslos: Experience of 14 Cases," publicado en el *Journal of Plastic, Reconstructive & Aesthetic Surgery*, Ellabban & Hart encontró que el 28.6% de sus clientes "tenían hinchazón trivial de la parte inferior de la pierna que fue tratada de forma conservadora mediante elevación de la pierna, medias de compresión y masaje y finalmente resuelta" (2004).

¿Cómo puedes ayudar en el proceso de curación? En un lifting de muslos, "los problemas de curación en esta área son más comunes debido a la probabilidad de contaminación fecal y urinaria con infección posterior". Olesen & Olesen recomienda "además de usar antibióticos, lavar toda el área operatoria con agua y jabón, en la ducha, después de cada evacuación intestinal y cada vez que se orina" (2005).

Algunos consejos sobre la curación de injertos de grasa para el aumento de glúteos (BBL)

En el artículo "Experiencia con la Transferencia de Grasa de Alto Volumen de Glúteos: Un Informe de 137 Casos", publicado en el *Aesthetic Surgery Journal*, Thomas Pane aconseja a sus clientes "no sentarse o acostarse sobre las nalgas durante al menos 7 días. Se animó a los pacientes a masajear todas las zonas liposuccionadas, ya sea en casa o con la ayuda de terapeutas masajistas experimentados en el cuidado posterior a la liposucción". Pane dice que "parece que la'pérdida de volumen' inicial es la hinchazón postoperatoria temprana en lugar de la reabsorción de cantidades significativas de grasa". Algunos clientes se quejan de la persistencia de los hoyuelos en las nalgas. Pane dice que "la subcisión y el injerto... pueden realizarse cuando los pacientes se presentan con hoyuelos y buscan una mejoría". Las técnicas estándar de transferencia de grasa mejorarán la mayoría de los hoyuelos de los glúteos al aumentar el volumen de los mismos, pero los hoyuelos rara vez se resuelven completamente" (2019).

Sabiduría Familiar

¿Cuáles son algunas de las formas en que has sanado tus heridas en el pasado? ¿Tus padres o abuelos tenían un remedio casero que funcionaba? Escribe ese consejo aquí:

¿Quieres saber más sobre cómo curar tus heridas? La fisioterapeuta Heather Flexer tiene una gran cantidad de recursos sobre la cicatrización de heridas en su página de Facebook Better Wounds. Compruébelo en https://www.facebook.com/betterwounds.heatherflexer.

La belleza es una actividad de la mente.
— *Tomás de Aquino*

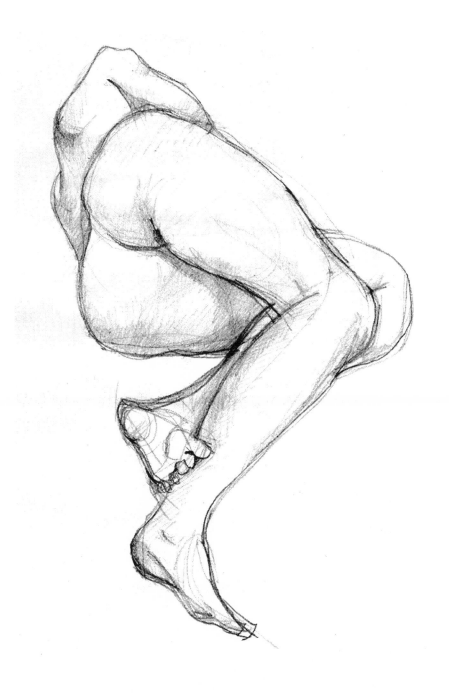

CAPÍTULO 7
VUELVA A PONERSE EN PIE

Ejercicio

Demasiado ejercicio es un gran no-no en los días y semanas después de la cirugía. Una vez que su cirujano le dé luz verde para volver a hacer ejercicio, moverse con regularidad es esencial para la salud a largo plazo.

Durante la primera semana, es posible que sólo pueda hacer caminatas cortas dentro de su casa. ¡No hay que hacer esfuerzos, agacharse ni levantar objetos! Moverse varias veces al día reducirá el riesgo de que se forme un coágulo de sangre. Si se da cuenta de que no puede motivarse para moverse, considere la posibilidad de sacar los aparatos de entretenimiento de su dormitorio. ¡Esto le animará a caminar a la sala de estar más a menudo! Pregúntele a su cirujano si es seguro realizar un minuto de bombeo de tobillo (flexión y extensión) una o dos veces por hora cuando esté despierto para aumentar el flujo sanguíneo.

La segunda y tercera semana, es posible que pueda caminar por un corto período de tiempo fuera de la casa, sólo arriba y abajo de la calle.

Entre la cuarta y sexta semana, su médico puede permitirle participar en ejercicios ligeros.

Mis clientes que son atletas son a menudo los más duros consigo mismos. No esperes volver a tu antiguo entrenamiento en el gimnasio. Usted debe comenzar lentamente y aumentar su nivel de condición física antes de la cirugía. En el estudio "The Effect of Detraining after a Period of Training on Cardiometabolic Health in Previously Sedentary Individuals" (El efecto del desentrenamiento después de un período de entrenamiento sobre la salud cardiometabólica en individuos previamente sedentarios), publicado en el *International Journal of Environmental Research and Public Health (Revista Internacional de Investigación Medioambiental y Salud Pública)*, Nolan et al. encontraron que después de tres meses de ejercicio, "las personas que posteriormente se desentrenaron, los beneficios de la salud cardiometabólica se invirtieron casi por completo dentro de la semana de desentrenamiento", y que "el cese de los ejercicios regulares abolió rápidamente todas las adaptaciones de entrenamiento con un mes de desentrenamiento" (2018). Sea amable con su cuerpo y comience de nuevo lentamente.

El reposo en cama también puede afectar la salud del cuerpo. En el estudio "Functional Impact of 10 Days of Bed Rest in Healthy Older Adults" (Impacto funcional de 10 días de reposo en cama en adultos mayores sanos), publicado en Journals of Gerontology, Kortebein et al. encontró que "en adultos mayores sanos, 10 días de reposo en cama resultan en una pérdida sustancial de fuerza, potencia y capacidad aeróbica de las extremidades inferiores, y una reducción de la actividad física" (2008).

Si necesita motivación para comenzar a hacer ejercicio, la investigación ha encontrado que el uso de un podómetro puede ayudar. En un estudio titulado "Utilizar podómetros para aumentar la actividad física y mejorar la salud: Una revisión sistemática" publicada en el *Journal of the American Medical Association*, Bravata et al. encontró que "los usuarios de podómetros aumentaron su actividad física en un 26,9%" y que "un predictor importante del aumento de la actividad física tenía una meta de pasos como 10.000 pasos al día" (2007).

Una vez que se le permite hacer ejercicio normalmente, hay algunos ejercicios que pueden ayudar a reducir la hinchazón, incluyendo:

- Yoga suave. Pruebe esta serie de Yoga de Flujo Linfático con Shoosh Lettick Crotzer: https://youtu.be/8btp39n5luc o Yoga Linfático con Edely Wallace: https://lymphaticyoga.net

- Reboteando. ¿Recuerdas haber descubierto la diversión de saltar en un trampolín cuando eras niño? Una versión más suave de ese ejercicio puede ayudar a mover el líquido linfático. Trate de rebotar suavemente en un rebote - un pequeño trampolín con una barra de seguridad/pasamanos. El movimiento de las articulaciones del tobillo y de la rodilla y la contracción y relajación de los músculos de la pantorrilla ayudan a mover el líquido linfático fuera de las piernas y los pies. Esto puede reducir la hinchazón en las piernas, los tobillos y los pies.

- Natación o ejercicios aeróbicos acuáticos (por lo general, no se permite a los pacientes nadar durante al menos un mes después de la cirugía)

- Si experimenta hinchazón en los brazos, considere la posibilidad de incorporar una bola de estrés blanda en sus entrenamientos. Al apretar el balón se mueven las articulaciones de la mano, lo que da un impulso a su sistema linfático.

El cuidado de su nuevo cuerpo

Una palabra de precaución si se ha sometido a una liposucción: si aumenta de peso después de la operación, puede que se asiente en nuevas partes de su cuerpo. En "Disharmonious Obesity Following Liposuction", capítulo 51 del libro *Liposuction Principles and Practice*, James E. Fulton Jr. y Farzin Kerendian describen la "obesidad desarmoniosa después de la liposucción" como que ocurre cuando "después de eliminar una porción de las células grasas del cuerpo, las otras células grasas pueden asumir la carga del almacenamiento de grasa" (2006, 342).

¿Cómo es la obesidad desarmoniosa? Engler dice que "si se añade grasa, ésta se distribuirá de forma diferente en todo el cuerpo de lo que lo haría antes de la liposucción. Por ejemplo, si, antes de la cirugía, una mujer que aumentó unas cuantas libras notó que la mayor parte de ellas se dirigían a los muslos y las caderas, entonces después de la cirugía (es decir, liposucción de los muslos y las caderas), la grasa normalmente se dirigirá a diferentes áreas, como el estómago, el pecho o los brazos". Para los hombres, dice Engler, "así como el estómago, las caderas y los muslos se tratan juntos en las mujeres, el pecho, el estómago y los michelines se tratan juntos en los hombres" (2000).

¡Hay buenas noticias! En el estudio brasileño "Liposuction Induces a Compensatory Increase of Visceral Fat Which is Effectively Counteracted by Physical Activity: a Randomized Trial" (La liposucción induce un aumento compensatorio de la grasa visceral que se contrarresta eficazmente mediante la actividad física: un ensayo aleatorio), Benatti et al. encontraron que "el entrenamiento con ejercicios es capaz de contrarrestar el crecimiento compensatorio inducido por la liposucción de la grasa visceral en las mujeres de peso normal", y que existe un "efecto protector del entrenamiento con ejercicios en la prevención del crecimiento compensatorio de la grasa visceral como respuesta a la liposucción". Las rutinas de ejercicio de los participantes del estudio comenzaron dos meses después de la cirugía y se les dio seguimiento durante cuatro meses. Los ejercicios consistían en un calentamiento de cinco minutos "seguido de ejercicios de fuerza[ocho ejercicios para los principales grupos musculares; uno (durante la primera semana como período de entrenamiento de adaptación) a tres series de ocho a 12 repeticiones máximas (RM) por ejercicio; 30 minutos/ sesión] y por ejercicio aeróbico en una cinta sin fin (30-40 minutos/sesión) a una intensidad que correspondía al umbral de compensación respiratoria[aproximadamente el 75% de la absorción máxima de oxígeno (VO2$_{max}$)] monitoreada mediante un monitor de frecuencia cardíaca". No hubo restricciones dietéticas (2012). He puesto la URL de la página web de este estudio en la parte posterior del libro. Imprima el estudio y muéstrelo a su entrenador personal si desea replicar los entrenamientos probados en este estudio.

Caminar es un buen ejercicio para usar cuando comience a ponerse en forma nuevamente después de la cirugía. Si se realizó una liposucción en el abdomen o en el área del torso, considere caminar descalzo sobre el césped o la playa. Se sorprenderá de lo mucho que caminar sobre una superficie irregular activa sus músculos centrales.

El uso de estimulación eléctrica muscular (EMS) al caminar puede ser una buena opción para hacer ejercicio después de la liposucción abdominal. Sí, algunos de esos cinturones de ab tonificación tienen ciencia para respaldar su efectividad. Dispositivos similares son apodados Estimulación Rusa debido a su uso por atletas de élite en ese país en el siglo XX (Ward & Shkuratova, 2002).

Profesionalmente, esta modalidad es utilizada por los fisioterapeutas cuando "el ejercicio tradicional no es posible debido a una lesión o cirugía... como medio para mantener la fuerza muscular y minimizar la atrofia debida a la inmovilización" (Porcari, 2018). La terapeuta atlética certificada Marina White comparte que utiliza EMS en sus clientes "para producir contracciones musculares que actúan como un sistema de bombeo para eliminar la hinchazón de la articulación" (2017).

En un estudio titulado "An 8-week Randomized Controlled Trial on the Effects of Brisk Walking, and Brisk Walking with Abdominal Electrical Stimulation on Anthropometric, Body Composition, and Self-Perception Measures in Sedentary Adult Women" (Un ensayo controlado aleatorio de 8 semanas sobre los efectos de la caminata rápida y la caminata rápida con estimulación eléctrica abdominal sobre las medidas antropométricas, de composición corporal y de autopercepción en las mujeres adultas sedentarias), publicado en la revista *Psicología del Deporte y el Ejercicio*, los sujetos utilizaron un dispositivo de EMS mientras caminaban enérgicamente durante treinta minutos, cinco días de la semana, durante ocho semanas. Anderson et al. dicen que "caminar + EMS podría tener una función protectora que prevenga un aumento en la circunferencia del ombligo [medición de la cintura]" (2006).

Unas pocas palabras de precaución: asegúrese de tener el permiso de su cirujano antes de probar un dispositivo EMS, especialmente si se ha sometido a una cirugía estética de abdomen. Estos dispositivos están regulados por la FDA. Obtenga más información sobre los riesgos potenciales en la página web de la FDA sobre estimuladores musculares electrónicos en https://www.fda.gov/ medicaldevices/productsandmedicalprocedures/ homehealthandconsumer/consumerproducts/ ucm142478.htm.

La vibración de todo el cuerpo es otra modalidad que puede ayudar a fortalecer los músculos después de la cirugía. En el artículo "Vibration as an exercise modality: How it may work, and what its potential might be" (La vibración como modalidad de ejercicio: cómo puede funcionar y cuál puede ser su potencial), publicado en el *European Journal of Applied Physiology*, Rittweger encontró que "el entrenamiento con vibración parece mejorar la potencia muscular, aunque los beneficios potenciales sobre las formas tradicionales de ejercicio resistivo aún no están claros". El entrenamiento con vibración también parece mejorar el equilibrio en subpoblaciones propensas a caer" (2010). Trate de sentarse en una superficie plana con sólo los pies en la máquina de vibración, luego trabaje hasta ponerse de pie o incluso realizar ejercicios en la máquina. Al igual que con cualquier forma de ejercicio, asegúrese de que su cirujano esté de acuerdo antes de intentarlo con la vibración de todo el cuerpo.

¿El dolor corporal no relacionado con la cirugía está limitando su capacidad para hacer ejercicio? La sauna finlandesa o de infrarrojos (IR) puede ayudar. En el artículo "Clinical Effects of Regular Dry Sauna Bathing: A Systematic Review", publicado en *Evidence-Based Complementary and Alternative Medicine*, Hussain y

Cohen dicen que "las saunas, ya sea de estilo finlandés o infrarrojo, pueden beneficiar a las personas con enfermedades reumáticas como la fibromialgia, la artritis reumatoide y la espondilitis anquilosante, así como a los pacientes con fatiga crónica y síndromes de dolor", y "mejorar el rendimiento en el ejercicio de los atletas" (2018). En el estudio "Infrared Sauna in Patients with Rheumatoid Arthritis and Ankylosing Spondylitis" (Sauna de infrarrojos en pacientes con artritis reumatoide y espondilitis anquilosante), publicado en *Clinical Rheumatology (Reumatología clínica)*, los pacientes fueron "tratados durante cuatro semanas, dos veces a la semana, con ocho sesiones de infrarrojos en la cabina de infrarrojos (30 min. a una temperatura ambiente de 55°C)" y los autores recomiendan que "los pacientes experimenten en primer lugar con un par de sesiones de ensayo para ver si logran algún beneficio clínico antes de iniciar un curso de infrarrojos irrecuperables" (Oosterveld et al., 2009).

Sauna es una práctica de bienestar del norte de Europa ampliamente practicada en Finlandia. Recuerdo con cariño el día que pasé explorando las saunas de la renombrada Caracalla Therme en Baden-Baden, Alemania. Si usted está buscando una manera de disfrutar de la sauna, pero su gimnasio no tiene uno, saunas portátiles de infrarrojos se venden en línea.

"Todo tiene belleza, pero no todo el mundo lo ve."
— *Confucio*

CAPÍTULO 8

SIÉNTASE SALUDABLE POR DENTRO Y POR FUERA

Sentí mucha ansiedad cuando me diagnosticaron cáncer de piel en la cara y me programaron una cirugía. Mi esposo y mi hermano fueron las únicas personas a las que les conté sobre la cirugía antes de que sucediera. No se lo dije a nadie más, ni siquiera a mi mejor amigo. Es difícil explicar por qué. No quería que fuera un gran problema y tener que escuchar las opiniones de todos sobre lo que estaba pasando. Supongo que quería esperar para saber que fue un éxito y luego emerger como una persona nueva y más feliz para mi familia y amigos.

¡Ese no es el consejo que quiero darte! En el libro *The Gifts of Imperfection*, Brené Brown comparte que "una de las mayores barreras a la conexión es la importancia cultural que le damos a 'ir solo'. De alguna manera hemos llegado a equiparar el éxito con no necesitar a nadie" (2010, 20). Estoy de acuerdo con Olesen & Olesen cuando recomiendan que "no importa lo independiente que seas, tener un sistema de apoyo emocional aumenta tu satisfacción" y "te alegrarás cuando se reúnan durante tu recuperación" (2005). Podemos ser fuertes y aun así pedir ayuda y apoyo cuando lo necesitemos.

El deseo de ocultar nuestras cirugías plásticas de otros también puede ser cultural. En el libro *Fat: The anthropology of an obsession*, Kulick & Meneley explican que "mientras que la cirugía estética en los EE.UU. o Europa todavía se ve como un asunto privado, y uno que es ligeramente embarazoso o al menos socialmente incómodo, en las cirugías brasileñas... son asuntos muy públicos" (2005).

La depresión posquirúrgica es natural

Experimentar diferentes sentimientos después de la cirugía es normal. McNemar et al. recuerdan a sus pacientes que "un efecto secundario común de la cirugía estética que usted no puede anticipar es una breve decepción emocional o depresión". Dicen que "estos sentimientos a menudo aparecen unos tres días después de la cirugía" y que "la depresión emocional puede deberse a cambios metabólicos en el cuerpo, fatiga, estrés o la frustración que se siente cuando los resultados no aparecen tan rápidamente como se esperaba" (2006). Olesen & Olesen dicen que "si te quedas en casa y estás aislado de tus amigos y compañeros de trabajo, puedes sentirte aislado de tu entorno normal, lo que puede contribuir a un cierto nivel de depresión temporal" (2005).

Tener unos días libres para sentarnos a ver la televisión suena maravilloso cuando estamos ocupados en el trabajo, pero puede hacernos sentir como locos cuando estamos atrapados en el sofá. Kristina Robinson, la CEO de Curvy Gyals, comparte algunos consejos para manejar los sentimientos después de la cirugía plástica en el video "Post Cirugía Depresión". Míralo en https://youtu.be/GcdqQPeH7O0.

La recuperación de la cirugía puede ser una montaña rusa de emociones, especialmente si las personas a nuestro alrededor no nos apoyan completamente. Si algo sale mal en nuestra recuperación, es muy fácil culparnos a nosotros mismos. Nos apuntamos a una"cirugía innecesaria", ¿no? Recuperarse ya es bastante difícil sin sentir culpa y un poco de arrepentimiento ya que estamos luchando con el proceso de curación. ¿Qué se siente al cambiar la historia de su cirugía de "soy tan vanidosa, me hice esto a mí misma, sólo puedo culparme a mí misma" y en su lugar pensar "estoy en un viaje para mejorarme física y emocionalmente y estoy abierta a pedir ayuda a lo largo del camino"?

Para muchas personas, incluido yo mismo, pedir ayuda es difícil. Brené Brown escribió:"Durante años, valoré ser el ayudante de mi familia. Podría ayudar con una crisis o prestar dinero o dar consejos. Siempre me alegró ayudar a los demás, pero nunca habría llamado a mis hermanos para pedirles ayuda.... Comprendo cómo derivé mi autoestima de no necesitar nunca ayuda y de ofrecerla siempre" (2010, 21). No eres el único que quiere depender sólo de ti mismo. Si su recuperación se siente demasiado difícil, está bien confiar en amigos cercanos y familiares mientras usted se está curando.

¡Juguemos con esto! Use estas instrucciones o, mejor aún, use una hoja de papel y haga una lista de sus respuestas a "Yo podría pedir (nombre) (algo que usted quiere/necesita)".

Podría pedirle _____ a _____

Podría pedirle _____ a _____

Podría pedirle _____ a _____

Podría pedirle _____ a _____

Podría pedirle _____ a _____

Podría pedirle _____ a _____

Llevar un diario postoperatorio

Otra manera de mantenerse optimista durante su recuperación es llevar un diario. Schafer recomienda que sus pacientes lleven un diario a partir del día después de la cirugía y que "todos los días, busquen mejoras, por muy pequeñas que sean, y las anoten en su diario. Cuando empieces a sentir que no estás progresando, vuelve y lee unas cuantas páginas" (2011). Puedes usar el diario de muestra que se encuentra en la parte posterior de este libro o crear el tuyo propio.

Qué tener a mano mientras se recupera

Si está leyendo esto antes de la cirugía, le recomiendo que compre el libro *Prepararse para la cirugía* de Peggy Huddleston, Heal Faster. El método de Huddleston de enfocarse en imágenes positivas ha resultado en la reducción de los niveles de ansiedad de los pacientes antes de la cirugía, el uso de menos medicamentos para el dolor y la recuperación más rápida después de la operación. Huddleston recomienda que antes de la cirugía usted visualice su curación, organice un grupo de apoyo y use declaraciones de curación. El poder de enfocarse en imágenes positivas personalizadas ha sido documentado en estudios de investigación en la Clínica Lahey (Tufts University Medical School), New England Baptist Hospital (Tufts University Medical School) y Beth Israel Deaconess Medical Center (Harvard Medical School). Recomiendo encarecidamente que hable con su cirujano y anestesista sobre la incorporación de declaraciones de curación en su experiencia quirúrgica.

Después de mi cirugía reconstructiva, recuerdo que vagaba aturdido por la farmacia después de haber sido dado de alta del hospital, tratando de comprar bebidas de reemplazo de comida mientras me surtían la receta. Por suerte, mi amiga Elyssa estaba allí para llevarme a casa. No seas como yo, planea con anticipación.

Lista de la compra postoperatoria

- ▶ Ropa suelta, fácil de poner y quitar en colores oscuros
- ▶ Si usted disfruta de los aceites esenciales, su aceite esencial favorito de lavanda, rosa, naranja/limón, geranio o incienso y un difusor
- ▶ Laxante (si lo recomienda el médico) y goma de mascar y café o té
- ▶ Maxi almohadillas (opción económica para absorber fluidos corporales) o apósitos para heridas

- Almohadillas para entrenar a los perros a ir al baño (proteja su cama o silla de los fluidos corporales)
- Toallitas húmedas para bebés (para entre duchas)
- Zapatos y zapatillas de deporte
- Embudo para orina
- Reposapiés
- Herramienta de agarre
- Botiquín de primeros auxilios y vendas
- Espejo de mano grande (para ver las incisiones en el costado o en la espalda)
- Funda plástica para colchón (facilita el deslizamiento y el levantarse de la cama)
- Tabla de planchar para usar como mesa extra cuando no puedes agacharte fácilmente
- https://youtu.be/ICefLm0-QOM Silla de ducha - Cómo usar una silla de ducha - video
- Caminante
- Almohada BBL si ha tenido una cirugía BBL
- Refrigerador con alimentos fáciles de preparar y de comer. Un cliente de cirugía estética de abdomen me presentó el servicio de entrega de comestibles, una excelente opción para que le entreguen alimentos frescos en su casa cuando no pueda llegar a la tienda.

ASAPS recomienda que los clientes que se están recuperando de una abdominoplastia mantengan los alimentos y los artículos de tocador al nivel de la cadera y que mantengan los medicamentos en la mesita de noche, con un organizador de píldoras y un programa escrito de medicamentos (Tummy Tuck, 2018).

¿Por qué está el chicle en la lista? Según el estudio "A Systematic Review of the Efficacy of Gum Chewing for the Amelioration of Postoperative Ileus" publicado en *Digestive Surgery*, de Castro et al. encontraron que "los ensayos han mostrado resultados prometedores para la eficacia de la goma de mascar en la mejora del íleo postoperatorio[una condición temporal en la que los intestinos son incapaces de funcionar y mover las heces fuera del cuerpo]" y "este meta-análisis muestra un efecto favorable de la masticación de la goma de mascar en el tiempo que transcurre entre el momento de la evacuación y el momento en el que se produce el flato y el momento en el que se produce la deposición de las heces". ¿Qué significa eso? Pregúntele a su cirujano si se le permite masticar chicle después de la cirugía. Al engañar al cuerpo para que piense que está comiendo, puede reactivar su sistema digestivo y ayudarle a hacer caca (2008).

¡Beber cafeína puede tener un efecto positivo similar! Según el estudio "Effect of Caffeine Intake on Postoperative Ileus: A Systematic Review and Meta-Analysis" publicado en *Digestive Surgery*, Gkegkes et al. encontró que la "administración postoperatoria de café mejora la motilidad intestinal reduciendo el tiempo hasta la primera deposición, el tiempo hasta la primera floración y hasta la defecación" (Gkegkes et al, 2019).

Cómo quitarle el enfoque a su cirugía

Olesen & Olesen advierte a sus clientes que "estén preparados para recibir muchos comentarios de sus amigos y familiares" y señalan que "muchos amigos están más enfocados en nuestros defectos que en nuestro progreso cuando nos ven después de la cirugía plástica, pero que estas son opiniones no médicas" (2005).

¿Cómo puedes manejar las reacciones de los conocidos? Si desea mantener el tema de conversación fuera de su cirugía, Engler recomienda que antes de la cirugía considere "obtener exactamente lo que otras personas piensan que están viendo - un nuevo corte de pelo, color o estilo, nuevas gafas, y/o alguna ropa nueva" (2000).

¿Qué hay de esa vocecita en tu cabeza? A veces los días y semanas después de la cirugía pueden sentirse abrumadores y nuestra voz interior puede ser muy crítica. Consuélese, no está solo.

La sociedad nos quiere hacer creer que todos los que hacen una cita para ver a un cirujano plástico son inútilmente vanos. La investigación ha demostrado lo contrario. En el capítulo 55 de *Principios y práctica de la liposucción*, "Psicología y calidad de vida de los pacientes sometidos a cirugía de liposucción", Sattler et al. encontraron que "entre los dos extremos de la autodescuido frente a la preocupación excesiva y la autoimagen negativa frente a la embellecida, hay una amplia gama de personas con una supuesta preocupación y percepción normal de su apariencia. Se trata de personas que se cuidan a sí mismas sin exagerar y que tienen una visión realista de su aspecto exterior. Son el grupo paritario de la medicina estética". Citan un estudio de trescientos pacientes sometidos a cirugía de liposucción que encontró que "los pacientes sometidos a liposucción están en la mayoría de los casos contentos con el tratamiento y experimentan efectos positivos para el cuerpo, la mente y las interacciones sociales" (Shiffman & Di Giuseppe 2006, 364-365).

Sabiendo esto, ¿qué pasaría si cambiara el tema de la conversación interna, sólo por un tiempo, a algo más agradable?

¡Juguemos con esto! Al igual que la canción "My Favorite Things" de The Sound of Music, usa estas instrucciones o, mejor aún, usa una hoja de papel y escribe tu respuesta a la pregunta "¿Cuáles son algunas de mis cosas favoritas?" Vuelve a la lista cuando necesites un pequeño empujón.

_____

_____

_____

_____

Cómo saber que usted está sanando

En *Prepararse para la cirugía, sanar más rápido*, Peggy Huddleston recomienda el uso de imágenes positivas para mantener su enfoque en una recuperación completa. Ella explica cómo establecer una imagen de cómo se sentirá inmediatamente después de la cirugía, a mitad de la curación y cuando esté completamente recuperado. Cuando vivimos la vida día a día, a veces es difícil reconocer que nuestro cuerpo está realmente sanando. Tener una imagen en mente de lo que se sentirá al estar totalmente recuperado puede guiarnos.

Para mí, estar totalmente recuperado después de mi cirugía reconstructiva significaba correr cinco millas en una cinta de correr en el gimnasio. ¡Recuerdo haberme bajado de la cinta de correr ese día tan feliz que pude volver a hacer ejercicio!

Usar una meditación de exploración corporal también me ayudó a concentrarme en cómo me estaba curando después de un esguince de tobillo. Estaba concentrada en hacerme cargo de mi tobillo y sentirme decepcionada por mi falta de progreso hacia la recuperación. Tomarme el tiempo para comprobar lo que sentía mi cuerpo en ese momento me ayudó a darme cuenta de que ya no tenía dolor en el tobillo mientras descansaba. Esta comprensión me ayudó a ser más optimista sobre mi recuperación.

Pruebe una meditación de escaneo corporal por usted mismo en https://health.ucsd.edu/specialties/mindfulness/programs/mbsr/pages/audio.aspx.

Planificación de la vida después de la cirugía: Dimensiones de la salud positiva

En la época de nuestros padres, la gente estaba sana o enferma. Ahora sabemos que hay muchas dimensiones del bienestar, incluyendo la física, mental, espiritual, emocional y social. Quiero compartir un concepto de salud bastante nuevo que nos llega de los Países Bajos.

La salud positiva puede definirse como "la capacidad de adaptarse y autogestionarse ante los retos sociales, físicos y emocionales", según el artículo "How Should We Define Health" de Huber et al. publicado en el British Medical Journal en 2011. En un estudio publicado en la misma revista en 2016, Huber et al. enumeraron seis dimensiones de la salud positiva:

- **Las funciones corporales** incluyen el funcionamiento físico de nuestro cuerpo, quejas, dolor y niveles de energía.
- **Las funciones mentales** y la percepción incluyen el funcionamiento cognitivo, nuestro estado emocional, el auto-respeto, el autocontrol y la resistencia.
- **La dimensión espiritual/existencial** incluye un sentido de sentido/significado, la búsqueda de objetivos/ideales y la aceptación.
- **La calidad de vida** incluye el bienestar, la experiencia de la felicidad, el disfrute, el entusiasmo por la vida y el sentido del equilibrio.

- **La participación social y social** incluye habilidades sociales y comunicativas, relaciones significativas, nuestros contactos sociales, el sentimiento de ser aceptados, la participación de la comunidad y el trabajo significativo.

- **El funcionamiento diario** incluye ser capaz de completar las actividades de la vida diaria y la capacidad de trabajar.

Para muchas personas, la razón por la que quieren una cirugía plástica es para mejorar un defecto que les avergüenza o para restaurar su sentido de verse como la persona que se sienten por dentro. Le animo a que use la nueva confianza que siente después de la cirugía plástica para fomentar sus relaciones y el sentido de conexión con su comunidad. ¿De qué tipo de conexión estoy hablando? Brené Brown define la conexión como "la energía que existe entre las personas cuando se sienten vistas, escuchadas y valoradas; cuando pueden dar y recibir sin juzgar; y cuando obtienen sustento y fuerza de la relación" (2010).

En el libro *Conexiones Perdidas: Descubriendo las verdaderas causas de la depresión y las soluciones inesperadas*, Johann Hari cita al investigador en neurociencia John Cacioppo: "La soledad no es la ausencia física de otras personas.... Es la sensación de que no estás compartiendo nada que importe con nadie más. Si tienes mucha gente a tu alrededor -quizás incluso un esposo o esposa, o una familia, o un lugar de trabajo ocupado- pero no compartes nada de lo que importa con ellos, entonces seguirás estando solo" (2018).

Para muchos de mis clientes, la vergüenza sobre su cuerpo limitó su capacidad de fomentar la conexión a través de la participación en actividades físicas y sociales. ¿Cómo puedes adaptarte y celebrar tu nuevo cuerpo? He aquí algunas ideas.

Voluntariado o afiliación a clubes

¿Puede dejar que su disfrute de los resultados de la cirugía plástica lo inspire a ser más activo en su comunidad? Olesen & Olesen recomiendan a sus clientes "unirse a un club de lectura o curso de extensión" y "añadir algunas actividades de voluntariado a su rutina" (2005). En el libro *The Stress Management Workbook: Desestresarse en 10 minutos o menos*, Ruth C. White, una experta en control del estrés y bienestar mental, está de acuerdo: "La conexión social que se asocia con el voluntariado tiene impactos positivos significativos en su salud mental y bienestar y puede reducir sus niveles de estrés. Piense en el cambio que desea ver en el mundo y ayude a una organización a trabajar para lograr ese cambio. Dar a otros puede ser altruista, pero también se siente bien. Te hace sentir útil, te mantiene conectado a algo más grande que tú mismo, y pone tu vida en perspectiva" (2018).

Pensamientos finales

White también predice que al "centrarse en los aspectos positivos de la vida, se sentirá mejor y, posteriormente, aliviará un poco el estrés". Dedique un minuto a pensar en cómo felicitar a un amigo o familiar y enviarle algo de positividad. Lo encontrarás reflejado en ti, ya sea a través de un cumplido directo o simplemente pensando en lo afortunado que eres de tener un ser querido, familia o amigos" (2018). Cacioppo también dijo que "para acabar con la soledad, se necesita a otras personas, más algo más. También necesitas... sentir que estás compartiendo algo con la otra persona, o con el grupo, que es significativo para ambos. Hay que estar juntos en él, y"puede ser cualquier cosa que ambos piensen que tiene significado y valor" (Hari, 2018).

Lista de control de mis autocuidados:

_____

_____

_____

Reconéctese con usted mismo

La curación de la cirugía puede ser un momento excelente para descubrir la meditación o para volver a dedicarse a una práctica de atención plena. ¿No puedes salir de casa para unirte a un grupo de meditación? El Mindful Awareness Research Center de UCLA tiene una selección de cursos en línea de seis semanas que puede probar. Obtenga más información en https://www.uclahealth.org/marc/online-classes.

Salud Positiva con Enfermedad Crónica

Algunos de mis clientes se someten a cirugía plástica para mejorar sus síntomas, pero todavía tienen las enfermedades crónicas de linfedema o lipedema. Curiosamente, Huber et al. encontraron que "el hecho de tener una enfermedad crónica estaba en sí mismo relacionado independientemente con una disminución en el valor asignado a las funciones corporales y un aumento en el valor otorgado a la dimensión espiritual/existencial" (2016). Enfocarse más en el desarrollo de la resiliencia y la capacidad de adaptarse a los desafíos, así como en encontrar un significado a través de la espiritualidad, puede ser un camino hacia la salud positiva si usted tiene una enfermedad crónica.

Su lista personal de autocuidados

¿Qué tipo de actividades tendrían que figurar en su lista de control de autocuidado personal para lograr la Salud Positiva? Necesito ejercicio regular para mantener mi salud física excelente, masajes regulares para reducir el dolor corporal, meditación para mantenerme sintiéndome equilibrado, trabajo significativo, y tiempo pasado con amigos. Yo también tengo mis límites. No puedo estar en mi mejor momento cuando tengo menos de seis horas de sueño por la noche o cuando estoy en movimiento por más de diez horas al día. White recomienda que escribamos nuestros límites y "volvamos a ellos cuando nos sentimos estresados y necesitamos que nos recuerden nuestros límites". Necesito horas de sueño cada noche. Necesito comer cada pocas horas. Necesito beber vasos de agua todos los días. Necesito interacciones sociales todos los días. Necesito minutos de ejercicio al día. Necesito minutos a solas todos los días. Necesito minutos para meditar o rezar. Necesito minutos para no hacer nada" (2018).

Lista de control de mis autocuidados:

_____

_____

_____

_____

Pensamientos finales

¿Cómo podemos adaptarnos y autogestionarnos cuando las pequeñas emergencias de la vida interfieren con nuestros planes? Como nos enseña la Fábula de Esopo, una caña puede doblarse con el viento, pero un árbol no.

¿Cómo puedes "doblarte en el viento" cuando la vida no te sale cómo quieres?

"Las personas más bellas que hemos conocido son aquellas que han conocido la derrota, el sufrimiento, la lucha y la pérdida, y que han encontrado la manera de salir de las profundidades. Estas personas tienen un aprecio, una sensibilidad y una comprensión de la vida que la llena de compasión, gentileza y una profunda preocupación amorosa. Las personas hermosas no suceden, así como así". — Elisabeth Kübler-Ross

CONCLUSIÓN

Espero que este tour relámpago a través de mis reglas de recuperación de cirugía plástica le haya dado los recursos y la confianza para discutir su plan de curación con su cirujano plástico.

Acuérdate de hacer:

- Seguir las órdenes del médico
- Reducir la inflamación
- Reducir los moretones
- Mejorar las cicatrices y la fibrosis
- Apoyo para la curación de heridas
- Vuelva a ponerse de pie y
- ¡Siéntase saludable por dentro y por fuera!

Hágame saber sus consejos para la curación de la cirugía plástica y sígame en los medios de comunicación social para obtener más consejos:

Facebook: @PlasticSurgeryRecoveryHandbook

Instagram: @PlasticSurgeryRecoveryHandbook

Twitter: @KathleenLisson

BIBLIOGRAFIA

6 Best Fixes for Pain and Swelling in Your Feet and Ankles. (2016, July 19). Retrieved from https://health.clevelandclinic.org/2016/06/6-best-ways-relieve-swollen-feet-ankles-home.

Ablon G. (2018). Phototherapy with light emitting diodes: Treating a broad range of medical and aesthetic conditions in dermatology. *Journal of Clinical and Aesthetic Dermatology*, 11(2), 21–27. Retrieved from https://www.ncbi.nlm.nih.gov/pmc/articles/PMC5843358/pdf/jcad_11_2_21.pdf.

Al-Ghadban S., Cromer W., Allen M., et al. Dilated blood and lymphatic microvessels, angiogenesis, increased macrophages, and adipocyte hypertrophy in lipedema thigh skin and fat tissue. *Journal of Obesity*, vol. 2019, Article ID 8747461, 10 pages. https://doi.org/10.1155/2019/8747461. Retrieved from https://www.hindawi.com/journals/jobe/2019/8747461/abs.

Alser, O. H., & Goutos, I. (2018). The evidence behind the use of platelet-rich plasma (PRP) in scar management: a literature review. *Scars, burns & healing*, 4, 2059513118808773. doi:10.1177/2059513118808773 Retrieved from: https://www.ncbi.nlm.nih.gov/pmc/articles/PMC6243404/

Anderson, A.G., Murphy, M.H., Murtagh, E., & Nevill, A. (2006). An 8-week randomized controlled trial on the effects of brisk walking, and brisk walking with abdominal electrical stimulation on anthropometric, body composition, and self-perception measures in sedentary adult women. *Psychology of Sport and Exercise*, 7, 437–451. Retrieved from https://doi.org/10.1016/j.psychsport.2006.04.003.

Anderson, K., & Hamm, R. L. (2014). Factors that impair wound healing. *Journal of the American College of Clinical Wound Specialists*, 4(4), 84–91. doi:10.1016/j.jccw.2014.03.001 Retrieved from https://www.ncbi.nlm.nih.gov/pmc/articles/PMC4495737.

Arno, A. I., Gauglitz, G. G., Barret, J. P., & Jeschke, M. G. (2014). Up-to-date approach to manage keloids and hypertrophic scars: a useful guide. *Burns: Journal of the International Society for Burn Injuries*, 40(7), 1255–66. Retrieved from https://www.ncbi.nlm.nih.gov/pmc/articles/PMC4186912.

Ashforth, K., Morgner, S., & Vanhoose, L. (2011). A new treatment for soft tissue fibrosis in the breast. *Journal of Lymphoedema*, 6, 42–46. Retrieved from https://www.researchgate.net/publication/281656383_A_new_treatment_for_soft_tissue_fibrosis_in_the_breast.

Atkinson J, McKenna K, Barnett A, McGrath D, & Rudd M. (2005). A randomized, controlled trial to determine the efficacy of paper tape in preventing hypertrophic scar formation in surgical incisions that traverse Langer's skin tension lines. *Plastic and Reconstructive Surgery*, 116(6), 1648–56. Retrieved from https://www.ncbi.nlm.nih.gov/pubmed/16267427.

Bae, H., & Kim, H. J. (2013). Clinical outcomes of extracorporeal shock wave therapy in patients with secondary lymphedema: a pilot study. *Annals of rehabilitation medicine*, 37(2), 229–234. doi:10.5535/arm.2013.37.2.229. Retrieved from: https://www.ncbi.nlm.nih.gov/pmc/articles/PMC3660484/

Bellini, E., Grieco, M. P., & Raposio, E. (2017). A journey through liposuction and liposculture: Review. *Annals of medicine and surgery* 24, 53–60. doi:10.1016/j.amsu.2017.10.024 Retrieved from https://www.ncbi.nlm.nih.gov/pmc/articles/PMC5681335.

Benatti, F., Solis, M., Artioli, G., Montag, E., Painelli, V., Saito,

F., Baptista, L., ... & Lancha, A. Jr. (2012). Liposuction induces a compensatory increase of visceral fat which is effectively counteracted by physical activity: A randomized trial. *Journal of Clinical Endocrinology & Metabolism*, 97(7), 2388–95, doi:10.1210/jc.2012-1012. Retrieved from https://academic.oup.com/jcem/article/97/7/2388/2834256.

Block Therapy (2019). Retrieved from https://blocktherapy.com/about/

Boyages, J., Kastanias, K., Koelmeyer, L. A., Winch, C. J., Lam, T. C., Sherman, K. A., ... & Mackie, H. (2015). Liposuction for advanced lymphedema: A multidisciplinary approach for complete reduction of arm and leg swelling. *Annals of surgical oncology*, 22 Suppl 3, 1263–70. doi:10.1245/s10434-015-4700-3 Retrieved from https://www.ncbi.nlm.nih.gov/pmc/articles/PMC4686553.

Brauman, D., van der Hulst, R., & van der Lei, B. (2018). Liposuction assisted abdominoplasty: An enhanced abdominoplasty technique. *Plastic and reconstructive surgery. Global open*, 6(9), e1940. doi:10.1097/GOX.0000000000001940 Retrieved from https://www.ncbi.nlm.nih.gov/pmc/articles/PMC6191222.

Bravata, D.M., Smith-Spangler, C., Sundaram, V., et al. (2007). Using pedometers to increase physical activity and improve health: A systematic review. *JAMA: The Journal of the American Medical Association*, 298(19), 2296–2304. doi:10.1001/jama.298.19.2296. Retrieved from https://jamanetwork.com/journals/jama/article-abstract/209526.

Brown, B. (2010). *The gifts of imperfection*. Hazelden Publishing.

Bylka, W., Znajdek-Awiżeń, P., Studzińska-Sroka, E., & Brzezińska, M. (2013). *Centella asiatica in cosmetology. Postepy Dermatologii i Alergologii [Advances in Dermatology and Allergology]*, 30(1), 46–9. Retrieved from https://www.ncbi.nlm.nih.gov/pmc/articles/PMC3834700.

Care Instructions (n.d.). Retrieved from: https://marenagroup.com/about/care/

Caring for Your Jackson-Pratt Drain (2019, Feb. 1). Retrieved from https://www.mskcc.org/cancer-care/patient-education/caring-your-jackson-pratt-drai

Carr, A. C., & Maggini, S. (2017). Vitamin C and immune function. *Nutrients*, 9(11), 1211. doi:10.3390/nu9111211. Retrieved from https://www.ncbi.nlm.nih.gov/pmc/articles/PMC5707683.

Casas, L. & DePilo, P. (1999). Manual lymphatic drainage therapy: An integral component of postoperative care in plastic surgery patients. *Proceedings of The First Annual Conference of the American Society of Lymphology*. 1999 Aug. Chicago. Retrieved from http://www.serenebodyworks.net/wp-content/uploads/2018/03/MLD-An-integral-Component-of-Postoperative-Care.pdf.

Chughtai, M., Newman, J. M., Sultan, A. A., Samuel, L. T., Rabin, J., Khlopas, A., ... & Mont, M. A. (2019). Astym® therapy: a systematic review. *Annals of Translational Medicine*, 7(4), 70. doi:10.21037/atm.2018.11.49 Retrieved from https://www.ncbi.nlm.nih.gov/pmc/articles/PMC6409241.

Courtney, R. (2009). The functions of breathing and its dysfunctions and their relationship to breathing therapy. *International Journal of Osteopathic Medicine*, 12(3), 78–85. https://doi.org/10.1016/j.ijosm.2009.04.002 Retrieved from https://www.researchgate.net/publication/228637154 The functions of breathing and its dysfunctions and their relationship to breathing therapy.

Dadras, M., Mallinger, P. J., Corterier, C. C., Theodosiadi, S., & Ghods, M. (2017). Liposuction in the treatment of lipedema: A longitudinal study. *Archives of Plastic Surgery*, 44(4), 324–331.

doi:10.5999/aps.2017.44.4.324 Retrieved from https://www.ncbi.nlm.nih.gov/pmc/articles/PMC5533060.

Dayan, S. (2007). *Instant Beauty*. New York, NY: Hatherleigh Press.

de Castro, S. M. M., van den Esschert, J. W., van Heek, N. T., Dalhuisen, S., Koelemay, M. J. W., Busch, O. R. C., & Gouma, D. J. (2008). A systematic review of the efficacy of gum chewing for the amelioration of postoperative ileus. *Digestive Surgery*, 2008(25), 39–45. doi: 10.1159/000117822.

Direction Of Use And Care (n.d.). Retrieved from: https://www.isavela.com/pages/helpful-info/care-instructions.html

di Summa, P. G., Wettstein, R., Erba, P., et al. Scar asymmetry after abdominoplasty: The unexpected role of seroma. *Annals of Plastic Surgery*, 2013(71), 461 Retrieved from https://journals.lww.com/annalsplasticsurgery/Abstract/2013/11000/Scar_Asymmetry_After_Abdominoplasty__The.7.aspx.

Dixit, V. V., & Wagh, M. S. (2013). Unfavourable outcomes of liposuction and their management. *Indian Journal of Plastic Surgery*, 46(2), 377–92. Retrieved from https://www.ncbi.nlm.nih.gov/pmc/articles/PMC3901919.

Donec, V. & Kriščiūnas, A. (2014). The effectiveness of Kinesio Taping® after total knee replacement in early postoperative rehabilitation period: A randomized clinical trial. *European Journal of Physical and Rehabilitation Medicine*, 50(4), 363–71. Retrieved from https://kinesiocourse.ru/files/mejdunaresled/2014/kttotalkn.pdf.

Doughty, D. B. Preventing and managing surgical wound dehiscence. *Advances in Skin & Wound Care*, 18(6), 319–322. Retrieved from https://insights.ovid.com/pubmed?pmid=16096397.

Ebert, J.R., Joss, B., Jardine, B., & Wood, D. J. (2013). Randomized trial investigating the efficacy of manual lymphatic drainage to improve early outcome after total knee arthroplasty. Archives of Physical Medicine and Rehabilitation, 94(11), 2103–11. Retrieved from https://www.archives-pmr.org/article/S0003-9993(13)00461-9/fulltext.

Ellabban, M.G. & Hart, N.B. (2004). Body contouring by combined abdominoplasty and medial vertical thigh reduction: Experience of 14 cases. British Journal of Plastic Surgery, 57(3), 222 – 227. Retrieved from https://www.jprasurg.com/article/S0007-1226(03)00585-X/fulltext.

Engler, A. M. (2000). Bodysculpture: Plastic surgery of the body for men and women. New York: Hudson Publishing.

FAQ (2019). Retrieved from https://www.bonitoandcompany.com/pages/faq.

Facelift (2018). Retrieved from https://www.smartbeautyguide.com/procedures/head-face/facelift.

Földi, E., Földi, M., (eds) (2012) Textbook of lymphology. Munich: Urban & Fischer.

Frequently Asked Questions (n.d.). Retrieved from: http://www.clearpointmedical.com/en/frequently-asked-questions-compression-wear.aspx

Fu, X., Dong, J., Wang, S., Yan, M., & Yao, M. (2019). Advances in the treatment of traumatic scars with laser, intense pulsed light, radiofrequency, and ultrasound. Burns & Trauma, 7, 1. doi:10.1186/s41038-018-0141-0. Retrieved from https://www.ncbi.nlm.nih.gov/pmc/articles/PMC6350396.

Garment Care (2017). Retrieved from https://www.wearease.com/pages/garment-care.

Garment Care (n.d.). Retrieved from https://solideaus.com/pages/garment-care.

Gasbarro, V., Bartoletti, R., Tsolaki, E., Sileno, S., Agnati, M., Coen, M., Conti, M., Bertaccini, (2006). Role of HIVAMAT ® 200 (deep oscillation) in the treatment of the lymphedema of the limbs. European Journal of Lymphology and Related Problems. 16(48). Retrieved from: https://www.eurolymphology.org/JOURNAL/Vol16-N48-2006.pdf

General Product Information & FAQs (n.d.). Retrieved from http://www.therapygarments.com/far-infrared-cellulite-clothing.html.

Gkegkes I, D, Minis E, E, Iavazzo C: Effect of Caffeine Intake on Postoperative Ileus: A Systematic Review and Meta-Analysis. Dig Surg 2019. doi: 10.1159/000496431 Retrieved from: https://www.karger.com/Article/FullText/496431#

Gouin, J. P., & Kiecolt-Glaser, J. K. (2012). The impact of psychological stress on wound healing: Methods and mechanisms. *Critical Care Nursing Clinics of North America*, 24(2), 201–13. Retrieved from https://www.ncbi.nlm.nih.gov/pmc/articles/PMC3775570.

Gott, F.H. & Ly, K. & Piller, N. & Mangio, A. (2018). Negative pressure therapy in the management of lymphoedema. *Journal of Lymphoedema*. 13. 43-48.

Guarneri, M. (2017). *108 pearls to awaken your healing potential: A cardiologist translates the science of health and healing into practice*. Carlsbad, CA: Hay House, Inc.

Hamblin M. R. (2017). Mechanisms and applications of the anti-inflammatory effects of photobiomodulation. *AIMS Biophysics*,

4(3), 337–361. Retrieved from https://www.ncbi.nlm.nih.gov/pmc/articles/PMC5523874.

Hamman, M. S., & Goldman, M. P. (2013). Minimizing bruising following fillers and other cosmetic injectables. *Journal of Clinical and Aesthetic Dermatology*, 6(8), 16–18. Retrieved from https://www.ncbi.nlm.nih.gov/pmc/articles/PMC3760599.

Hari, J. (2018). *Lost connections: Uncovering the real causes of depression—And the unexpected solutions*. Bloomsbury.

Healing Without Scars (2018, Nov. 7). Retrieved from https://hsci.harvard.edu/news/healing-without-scars.

Home Care for Your Wound Drain. (n.d.). Retrieved from https://patienteducation.osumc.edu/Documents/HomeCareWoundDrain.pdf.

How to Videos & Care (n.d.). Retrieved from: https://contemporarydesigninc.com/how-to-videos/

Huber, M., Knottnerus, J., Green, L., Horst, H., Jadad, A., Kromhout, D., ... & Smid, H. How should we define health? BMJ, 2011(343), d4163. doi: 10.1136/bmj.d4163. Retrieved from https://www.bmj.com/content/343/bmj.d4163.

Huber, M., van Vliet, M., Giezenberg, M., B. Winkens, Y. Heerkens, P. C. Dagnelie, & J. A. Knottnerus. Towards a "patient-centred" operationalisation of the new dynamic concept of health: A mixed methods study. *BMJ Open* 2016;5:e010091. doi:10.1136/bmjopen-2015- 010091. Retrieved from http://www.louisbolk.org/downloads/3108.pdf.

Husain, T., Salgado, C., Mundra, L., Perez, C., AlQattan, H., Bustillo, E., ... & Garri, J. (2019). Abdominal etching: Surgical technique and outcomes, *Plastic and Reconstructive Surgery*, 143(4), 1051–1060.

doi: 10.1097/PRS.0000000000005486. Retrieved from https://journals.lww.com/plasreconsurg/Fulltext/2019/04000/Abdominal_Etching__Surgical_Technique_and_Outcomes.15.aspx.

Hussain J. & Cohen M. (2018) Clinical effects of regular dry sauna bathing: A systematic review. *Evidence-Based Complementary and Alternative Medicine*, vol. 2018, Article ID 1857413, 30 pages. doi:10.1155/2018/1857413. Retrieved from https://www.hindawi.com/journals/ecam/2018/1857413/cta.

Instrument Assisted Soft Tissue Mobilisation (IASTM). (2019). Retrieved from http://www.ovmc-eorh.com/programs-and-services/physical-therapy/iastm.asp.

Janis, J. E., Khansa, L., & Khansa, I. (2016). Strategies for postoperative seroma prevention: a systematic review. *Plastic and Reconstructive Surgery*, 138(1), 240–252. Retrieved from https://journals.lww.com/plasreconsurg/Abstract/2016/07000/Strategies_for_Postoperative_Seroma_Prevention__A.41.aspx

Kiecolt-Glaser, J. K., Loving, T. J., Stowell, J. R., Malarkey, W. B., Lemeshow, S., Dickinson, S. L, & Glaser, R. (2005). Hostile marital interactions, proinflammatory cytokine production, and wound healing. Archives of General Psychiatry. 62(12), 1377–84. Retrieved from https://www.ncbi.nlm.nih.gov/pubmed/16330726

Klose, G. (2010). *Compression Bandaging for Lymphedema Management*. Neuwied, Germany: Lohmann & Rauscher.

Klose, G. (2014 Oct. 1) How manual lymph drainage certification will change your massage practice. Retrieved from https://www.massagemag.com/how-manual-lymph-drainage-certification-will-change-your-massage-practice-27028.

Knobloch, K., Joest, B., Krämer, R., & Vogt, P. M. (2013). Cellulite and focused extracorporeal shockwave therapy for non-invasive body contouring: a randomized trial. *Dermatology and therapy*, 3(2), 143–155. doi:10.1007/s13555-013-0039-5. Retrieved from: https://www.ncbi.nlm.nih.gov/pmc/articles/PMC3889306/

Komprex (n.d.). Retrieved from https://www.lohmann-rauscher. com/us-en/products/compression-therapy/padding-foam/ komprex.

Kortebein, P., Symons, T., Ferrando, A., Paddon-Jones, D., Ronsen, O., Protas, E., ... & Evans, W. (2008). Functional impact of 10 days of bed rest in healthy older adults. *Journals of Gerontology: Series A*, 63(10), 1076–1081. doi: 10.1093/gerona/63.10.1076. Retrieved from https://academic.oup.com/biomedgerontology/ article/63/10/1076/559225.

Kulick, D., & Meneley, A. (2005). *Fat: The anthropology of an obsession*. New York: Jeremy P. Tarcher/Penguin.

Laser Therapy for Lymphedema. (2012, Sept. 17). Retrieved from https://www.breastcancer.org/treatment/lymphedema/treatments/ laser.

Levine, J. (2004). Non-exercise activity thermogenesis (Neat). *Nutrition Reviews*, 62(suppl_2), S82–S97. doi: 10.1111/j.1753-4887.2004.tb00094.x. Retrieved from https://academic.oup.com/ nutritionreviews/article-abstract/62/suppl_2/S82/1812445.

Linkov, G., Lam, V. B., & Wulc, A. E. (2016). The efficacy of intense pulsed light therapy in postoperative recovery from eyelid surgery. *Plastic and Reconstructive Surgery*, 137(5), 783e-789e. Retrieved from https://journals.lww.com/plasreconsurg/ Abstract/2016/05000/The_Efficacy_of_Intense_Pulsed_Light_ Therapy_in.10.aspx.

Liposuction (2018). Retrieved from https://www.smartbeautyguide. com/procedures/body/liposuction/

McNemar, T., Salzberg, C. A., & Seidel, S. (2006). *Breast augmentation and body contouring*. Omaha, NE: Addicus Books.

MacKay, D. & Miller, A. L. (2003). Nutritional support for wound healing. Alternative Medicine Review, 8(4), 359–377. Retrieved from http://archive.foundationalmedicinereview.com/publications/8/4/359.pdf.

Mayrovitz, H. N. & Yzer, J. A. (2017). Local skin cooling as an aid to the management of patients with breast cancer related lymphedema and fibrosis of the arm or breast. *Lymphology*, 50(2), 56–66. Retrieved from https://journals.uair.arizona.edu/index.php/lymph/article/view/20450.

Miller, J. (2014). *The roll model*. Las Vegas, NV: Victory Belt Publishing.

Narins, R. S. (2003). *Safe liposuction and fat transfer*. New York, NY: Marcel Dekker.

Nedelec, Bernadette & Lasalle, Léo. (2018). Postburn Itch: A Review of the Literature. Wounds : a compendium of clinical research and practice. 30. E118-E124. Retrieved from: https://www.woundsresearch.com/article/postburn-itch-review-literature

Nolan, P. B., Keeling, S. M., Robitaille, C. A., Buchanan, C. A., & Dalleck, L. C. (2018). The effect of detraining after a period of training on cardiometabolic health in previously sedentary individuals. *International Journal of Environmental Research and Public Health*, 15(10), 2303. doi:10.3390/ijerph15102303. Retrieved from https://www.ncbi.nlm.nih.gov/pmc/articles/PMC6210016.

Ojeh, N., Stojadinovic, O., Pastar, I., Sawaya, A., Yin, N., & Tomic-Canic, M., The effects of caffeine on wound healing, *International Wound Journal*. 2016 Oct;13(5):605–13. doi: 10.1111/iwj.12327. Epub 2014 Jul 8. Retrieved at https://www.ncbi.nlm.nih.gov/pubmed/25041108.

Olaitan, P. B., Chen, I. P., Norris, J. E., Feinn, R., Oluwatosin, O. M., & Reichenberger, E. J. (2011). Inhibitory activities of omega-3 fatty acids and traditional African remedies on keloid fibroblasts. *Wounds: a compendium of clinical research and practice*, 23(4), 97–106. Retrieved from https://www.ncbi.nlm.nih.gov/pmc/articles/PMC3905615.

Olesen, R. M., & Olesen, M. B. (2005). *Cosmetic surgery for dummies*. Hoboken, NJ: Wiley.

Olsen, J. H. H., Oberg, S., & Rosenberg, J. (2019). The effect of compression stocking on leg edema and discomfort during a 3-hour flight: A randomized controlled trial. *European Journal of Internal Medicine*. 2019 Feb 6. pii: S0953-6205(19)30022-6. doi: 10.1016/j.ejim.2019.01.013. Retrieved from https://www.ncbi.nlm.nih.gov/pubmed/30738701.

Oosterveld, F. G. J., Rasker, J. J., Floors, M. et al. (2009). Infrared sauna in patients with rheumatoid arthritis and ankylosing spondylitis. Clinical Rheumatology (2009) 28: 29. https://doi.org/10.1007/s10067-008-0977-y Retrieved from https://link.springer.com/article/10.1007/s10067-008-0977-y

Pazyar N, Yaghoobi R, Kazerouni A, Feily A. Oatmeal in dermatology: A brief review. Indian J Dermatol Venereol Leprol [serial online] 2012. 78:142–5. Available from: http://www.ijdvl.com/text.asp?2012/78/2/142/93629

Perry, A. W. (2007). *Straight talk about cosmetic surgery*. New Haven: Yale University Press.

Plemons, E. (2017). *The look of a woman: Facial feminization surgery and the aims of trans-medicine*. Durham: Duke University Press.

Porcari, J., Ryskey, A., & Foster, C. (2018). The effects of high intensity neuromuscular electrical stimulation on abdominal strength and endurance, core strength, abdominal girth, and perceived body shape and satisfaction. *International Journal of Kinesiology and Sports Science*. 6. 19. 10.7575/aiac.ijkss.v.6n.1p.19. Retrieved from https://journals.aiac.org.au/index.php/IJKSS/article/view/4139/3278.

Kassardjian, N. (n.d.). Post Operative Care. Retrieved from https://www.liposuction.com/post-operative-care-html.

Kraft, K., Kanter, S., & Janik, H. (2013). Safety and effectiveness of vibration massage by deep oscillations: A prospective observational study. *Evidence-based Complementary and Alternative Medicine: eCAM*, 2013, Article ID 679248, 10 pages. doi:10.1155/2013/679248 Retrieved from https://www.ncbi.nlm.nih.gov/pmc/articles/PMC3814103/

Pane, T. (2019). Experience with high-volume buttock fat transfer: A report of 137 cases. *Aesthetic Surgery Journal*, 39(5), 526–532. doi: 10.1093/asj/sjy191. Retrieved from https://academic.oup.com/asj/article/39/5/526/5067487.

Radek K. A., Matthies, A. M., Burns, A. L., Heinrich, S. A., Kovacs, E. J., & DiPietro, L. A. (2005). Acute ethanol exposure impairs angiogenesis and the proliferative phase of wound healing. *American Journal of Physiology-Heart and Circulatory Physiology*. 2005;289:H1084–H1090. Retrieved from https://www.physiology.org/doi/full/10.1152/ajpheart.00080.2005

Rittweger, J. (2010). Vibration as an exercise modality: How it may work, and what its potential might be. *European Journal of Applied Physiology* 108(5), 877–904. doi: 10.1007/s00421-009-1303-3 Retrieved from https://link.springer.com/article/10.1007%2Fs00421-009-1303-3.

Saltz, R. & Ohana, B. Thirteen years of experience with the

endoscopic midface lift, *Aesthetic Surgery Journal*, 32(8), 927–936. doi: 10.1177/1090820X12462714. Retrieved from https://www.ncbi.nlm.nih.gov/pubmed/23110925.

Saint Louis, C. (2010, December 15). Wildly abrasive. *New York Times*. Retrieved from http://www.nytimes.com/2010/12/16/fashion/16Skin.html

Sasada, M., & Guest, P. (2016). *The facelift bible: Including the facelift diaries*. Clinispa Limited.

Schafer, J. (2011). *A patient's guide to liposuction*. Denver, CO: Outskirts Press.

Schaverien, M. V., Munnoch, D. A., & Brorson, H. (2018). Liposuction treatment of lymphedema. *Seminars in Plastic Surgery*, 32(1), 42–47. doi:10.1055/s-0038-1635116. Retrieved from https://www.ncbi.nlm.nih.gov/pmc/articles/PMC5891650.

Schaverien, M. V., Moeller, J. A., & Cleveland, S. D. (2018). Nonoperative treatment of lymphedema. *Seminars in Plastic Surgery*, 32(1), 17–21. doi:10.1055/s-0038-1635119. Retrieved from https://www.ncbi.nlm.nih.gov/pmc/articles/PMC5891656.

Schell, A, Copp, J, Bogie, K.M., & Wetzel, R. Honey-based salve and burdock leaf dressings as an alternative to surgical debridement of a traumatic wound eschar. *Advances in Wound Care*, 8(3), 101–107. doi:10.1089/wound.2018.0806. Retrieved from https://www.ncbi.nlm.nih.gov/pmc/articles/PMC6430982/pdf/wound.2018.0806.pdf.

Shiffman, M. A., & Giuseppe, A. D. (2006). *Liposuction: Principles and practice*. Berlin: Springer-Verlag.

Son, D., & Harijan, A. (2014). Overview of surgical scar prevention and management. *Journal of Korean Medical Science*, 29(6),

751–7. Retrieved from https://www.ncbi.nlm.nih.gov/pmc/articles/PMC4055805.

Sood, A., Granick, M. S., & Tomaselli, N. L. (2014). wound dressings and comparative effectiveness data. *Advances in Wound Care*, 3(8), 511–529. doi:10.1089/wound.2012.0401 Retrieved from https://www.ncbi.nlm.nih.gov/pmc/articles/PMC4121107.

Sotelo-Paz, M. (2016). *Before & After A Guide for Cosmetic Surgery* [Kindle edition]. Retrieved from Amazon.com.

Smith, T. (2017 Jan 27). Are e-cigs safe? Retrieved from https://www.uchealth.org/today/2017/01/27/study-questions-safety-of-e-cigarettes/

Smith, T. J. & Ashar, B. H. (2019). Iron deficiency anemia due to high-dose turmeric. *Cureus*, 11(1), e3858. doi:10.7759/cureus.3858. Retrieved from https://www.ncbi.nlm.nih.gov/pmc/articles/PMC6414192.

Starkey, J. (2015, January 26). The truth about dry brushing and what it does for you. Retrieved from https://health.clevelandclinic.org/2015/01/the-truth-about-dry-brushing-and-what-it-does-for-you.

Stramer, B., Mori, R. & Martin, P. (2007) The inflammation–fibrosis link? A Jekyll and Hyde role for blood cells during wound repair. *Journal of Investigative Dermatology*, 127(5), 1009–1017. Retrieved from https://www.sciencedirect.com/science/article/pii/S0022202X15333534.

The Fitting Room (n.d.) Retrieved from: https://www.designveronique.com/the-fitting-room#section-heading-20

Todd, M., Lay-Flurrie, K., & Drake, J. (2017). Managing ulceration and lymphorrhea in chronic oedema. *British Journal of Community*

Nursing 22(5), S34-S41. doi: 10.12968/bjcn.2017.22.Sup5. S34. Retrieved from http://www.jobstcompressioninstitute.com/uploads/Document-Library/8d4526de3e83a518d1ff7df0f96a42ec.pdf.

Tummy Tuck. (2018). Retrieved from https://www.smartbeautyguide.com/procedures/body/tummy-tuck.

Tummy Tuck: 8 Tips for a Successful Recovery (2019, Feb. 25). Retrieved from https://www.smartbeautyguide.com/news/body-contouring/tummy-tuck-8-tips-successful-recovery.

Vidal, P., Berner, J. E., & Will, P. A. (2017). Managing complications in abdominoplasty: A literature review. *Archives of Plastic Surgery*, 44(5), 457–468. doi:10.5999/aps.2017.44.5.457. Retrieved from https://www.ncbi.nlm.nih.gov/pmc/articles/PMC5621815.

Ward, A.R. & Shkuratova, N. (2002). Russian electrical stimulation: The early experiments. *Physical therapy* 82(10), 1019–30. Epub 2002/09/28. Retrieved from https://www.ncbi.nlm.nih.gov/pubmed/12350217.

Wear & Care (n.d.) Retrieved from http://www.jobst-usa.com/our-products/wear-care.

White, M. (2017). Application of electric muscle stimulation in acute injuries. Retrieved from https://www.orthoquestpedorthics.com/resources/blog/news/Blog-Entries/2017/01/27/38:application-of-electrical-muscle-stimulation-in-acute-injuries.

White, R. C. (2018). *The stress management workbook: De-stress in 10 minutes or less*. Emeryville, CA: Althea Press.

Wodash A. J. (2013 Sept. 22). Wet-to-dry dressings do not provide moist wound healing. *Journal of the American College of Clinical Wound Specialists* 4(3), 63–66. doi:10.1016/j.jccw.2013.08.001.

Retrieved from https://www.ncbi.nlm.nih.gov/pmc/articles/PMC4511549/pdf/main.pdf.

Wollina, U., Heinig, B., & Nowak, A. (2014). Treatment of elderly patients with advanced lipedema: A combination of laser-assisted liposuction, medial thigh lift, and lower partial abdominoplasty. *Clinical, Cosmetic and Investigational Dermatology* 7, 35–42. doi:10.2147/CCID.S56655. Retrieved from https://www.ncbi.nlm.nih.gov/pmc/articles/PMC3904776.

Wynn, T. A. (2008). Cellular and molecular mechanisms of fibrosis. *Journal of Pathology*, 214(2), 199–210. Retrieved from https://www.ncbi.nlm.nih.gov/pmc/articles/PMC2693329.

Zhao, W., Chen, J., & Chen, W. (2014). Effect of abdominal liposuction on sonographically guided high-intensity focused ultrasound ablation. *Journal of Ultrasound in Medicine* 33(9), 1539–44. Retrieved from https://onlinelibrary.wiley.com/doi/full/10.7863/ultra.33.9.1539.

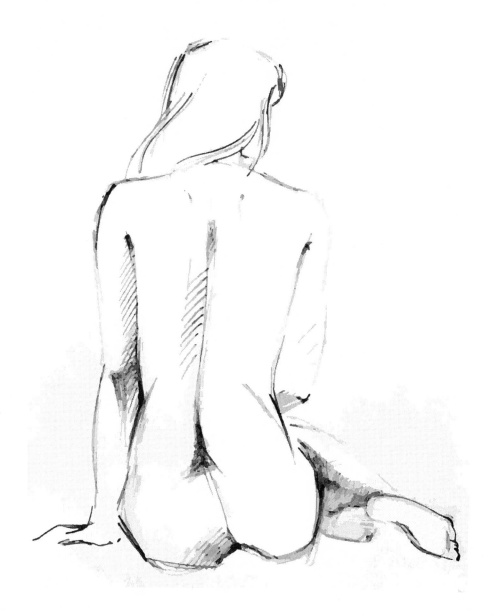

SOBRE EL AUTOR

Kathleen Lisson está certificada por la junta en masaje terapéutico y trabajo corporal y es terapeuta de linfedema certificada. Es dueña de Solace Massage and Mindfulness, ha impartido clases en el IPSB Massage College de San Diego y es autora de Lipedema Treatment Guide y de Swollen, Inflated and Puffy: A Manual Lymphatic Drainage Therapist's Guide to Reducing Swelling in the Face and Body. Kathleen tiene una Licenciatura en Ciencias Aplicadas en Terapia de Masaje, y es una Aromaterapeuta Maestra Certificada por el NHI (Instituto de Curación Natural de Naturopatía), una Maestra de Meditación Certificada por el MMI (Instituto de Meditación McLean), y una Entrenadora Personal Certificada por el ACE. Ella está certificada para presentar el taller de Peggy Huddleston "Prepararse para la cirugía, curar más rápido". Fue oradora en las conferencias de la Fat Disorders Resource Society de 2018 y 2019, oradora principal en la conferencia MLD UK de 2019 y completó la clase de Terapia Avanzada y Revisión de Linfedema en la Clínica Földi de Hinterzarten, Alemania.

Después de catorce años en una carrera de alto estrés en relaciones públicas para la legislatura del estado de Nueva York, Kathleen comenzó su segunda carrera como terapeuta de masajes en la organización sin fines de lucro Adams Avenue Integrative Health, donde se asoció con naturópatas, quiroprácticos y acupunturistas para brindar atención a las familias en el vecindario de Normal Heights en San Diego. También se ha ofrecido como voluntaria para proporcionar masajes de silla gratuitos a comunidades desatendidas en City Heights en el Centro Tubman-Chávez y en el Centro Comunitario Cultural del África Oriental a través de la organización sin fines de lucro Alternative Healing Network (Red de Sanación Alternativa).

Kathleen es autora de artículos publicados en Elephant Journal y en la 10ª edición de Labyrinth Pathways. Ha sido citada en la edición de noviembre de 2016 de la revista Prevention, y en línea en Bustle, Consumer Reports, Massage Magazine, Paper, Prevention, and Runner's World.

Redes Sociales:

http://www.plasticsurgeryrecoveryhandbook.com
http://www.solacesandiego.com
https://www.facebook.com/
PlasticSurgeryRecoveryHandbook
https://www.instagram.com/
plasticsurgeryrecoveryhandbook/
https://twitter.com/KathleenLisson

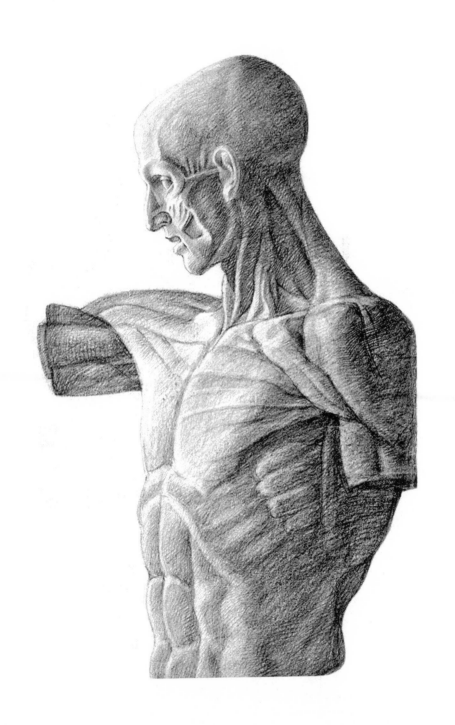

DIARIO POSTOPERATORIO

Le recomiendo que escriba unas cuantas líneas sobre cualquier signo, por pequeño que sea, que se ve o se siente mejor hoy de lo que se sentía ayer, hace unos días o la semana pasada. Incluso puede ser un bonito cumplido de un miembro de la familia o de un amigo. Mirar hacia atrás a este diario en el futuro le dará la esperanza de que se está recuperando bien.

Dia 1 Después de la Cirugía

_____

_____

_____

_____

Dia 2 Después de la Cirugía

_____

_____

_____

_____

Dia 3 Después de la Cirugía

_____

_____

_____

_____

Dia 4 Después de la Cirugía

_____

_____

_____

Dia 5 Después de la Cirugía

_____

_____

_____

Dia 6 Después de la Cirugía

_____

_____

_____

Dia 7 Después de la Cirugía

_____

_____

_____

Dia 8 Después de la Cirugía

_____

_____

_____

_____

Dia 9 Después de la Cirugía

_____

_____

_____

_____

Dia 10 Después de la Cirugía

_____

_____

_____

_____

Dia 11 Después de la Cirugía

_____

_____

_____

_____

Dia 12 Después de la Cirugía

_____

_____

_____

_____

Dia 13 Después de la Cirugía

_____

_____

_____

Dia 14 Después de la Cirugía

_____

_____

_____

Dia 15 Después de la Cirugía

_____

_____

_____

Dia 16 Después de la Cirugía

_____

_____

_____

Dia 17 Después de la Cirugía

_____

_____

_____

_____

Dia 18 Después de la Cirugía

_____

_____

_____

_____

Dia 19 Después de la Cirugía

_____

_____

_____

_____

Dia 20 Después de la Cirugía

_____

_____

_____

_____

Dia 22 Después de la Cirugía

_____

_____

_____

_____

Dia 23 Después de la Cirugía

_____

_____

_____

_____

Dia 24 Después de la Cirugía

_____

_____

_____

_____

Dia 25 Después de la Cirugía

_____

_____

_____

_____

Dia 26 Después de la Cirugía

_____

_____

_____

_____

Dia 27 Después de la Cirugía

_____

_____

_____

_____

Dia 28 Después de la Cirugía

_____

_____

_____

_____

Dia 29 Después de la Cirugía

_____

_____

_____

_____

Dia 30 Después de la Cirugía

_____

_____

_____

_____

Dia 31 Después de la Cirugía

_____

_____

_____

_____

Dia 32 Después de la Cirugía

_____

_____

_____

_____

Dia 33 Después de la Cirugía

_____

_____

_____

_____

Dia 34 Después de la Cirugía

_____

_____

_____

_____

Dia 35 Después de la Cirugía

_____

_____

_____

_____

Dia 36 Después de la Cirugía

_____

_____

_____

_____

Dia 37 Después de la Cirugía

_____

_____

_____

_____

Dia 38 Después de la Cirugía

_____

_____

_____

_____

Dia 39 Después de la Cirugía

_____

_____

_____

_____

Dia 40 Después de la Cirugía

_____

_____

_____

_____